Le Dernier des éléphants

Stéphanie Vergniault

avec la collaboration de Jeanne Grange

Le Dernier des éléphants

ARTHAUD

Sommaire

1

Les éléphants de Wasa

N'Djamena, 11 avril 1995

À ma descente de l'avion, sur la passerelle, je suis saisie par une vague de chaleur étouffante. Il fait 40 °C, l'air est sec et un vent chaud et sablonneux souffle. C'est l'harmattan. J'ôte ma saharienne. Sur le tarmac, des militaires en treillis verts. J'ai à peine posé un pied à terre que deux hommes en costume, élégants, viennent à ma rencontre d'un pas rapide. Ce sont les hommes du protocole du président de la République.

L'un d'eux se charge de ma valise, tandis que l'autre me salue :

— Bonjour, Stéphanie. Nous vous attendions. Soyez la bienvenue au Tchad.

Ils me font passer par le salon présidentiel. En une minute, mon visa est tamponné. J'ai tout juste le temps d'apercevoir, à la sortie de l'aéroport, les hommes – pour la plupart vêtus du *gondong*, la tenue traditionnelle en coton de couleur claire – et les femmes – couvertes de voiles colorés – venus accueillir mes compagnons de vol. Bien que de nombreux chrétiens se soient installés au sud du Tchad, je constate que la population est majoritairement musulmane.

J'embarque à l'arrière d'une voiture noire aux vitres teintées. La route défile : le rond-point des Bœufs, le Palais de justice, puis la longue avenue qui prolonge le palais présidentiel… et je découvre, émerveillée, la ville de N'Dja-mena. Il s'agit d'une ville construite dans le désert, en dessous du Sahel. Anciennement Fort-Lamy, elle a été rebap-tisée en 1973 par l'ancien président François Tombalbaye du nom d'un village arabe voisin (Am Djamena signifie « le lieu où l'on se repose »).

Bédoum, un des responsables du protocole, sort alors de son mutisme :

— Le palais présidentiel, c'est là où vit le PR, vous y serez reçue en audience dans la soirée. Il a un agenda chargé en ce moment, il faut l'excuser.

Le PR est le nom que les Tchadiens donnent au président de la République. D'ailleurs, j'ai appris par la suite qu'il était d'usage, chez certaines catégories de gens proches du gouvernement, d'user de diminutifs. Un sous-préfet est un SP, un secrétaire général, un SG, un chef de brigade, un CB, et ainsi de suite. En ce mois d'avril 1995, je viens donc rendre visite au PR.

Nous nous sommes rencontrés quelques semaines plus tôt à Paris. En vue des élections à venir, Hubert, son chargé de communication, dont j'ai fait la connaissance en 1993 lors d'un meeting électoral, m'a demandé d'organiser des ren-contres « utiles » entre le PR et des hommes politiques français. Je m'en suis occupée et le PR, très content de mon travail, et moi avons sympathisé. Au point que, de retour au Tchad, il m'a fait parvenir, par l'intermédiaire de son gendre Daoud, une invitation à son palais présidentiel, à N'Djamena.

Les invités de l'État sont généralement logés au Novotel, bâtiment relativement modeste dont le jardin donne sur le fleuve Chari et sur une grande piscine entourée de verdure. La voiture me dépose au bord du fleuve. Quelques femmes lavent leur linge, des enfants jouent dans l'eau, une barque passe, lentement, et disparaît au loin. Le vent de sable souffle et atténue le bruit des grillons. En face, sur l'autre rive, c'est le Cameroun. C'est sans doute ce jour-là, à cet instant précis, que je suis tombée amoureuse de ce pays, très complexe pour la *nassara* (« Blanche », en arabe tchadien) que j'étais, certes, mais magique.

Il est convenu qu'un membre du protocole viendra me chercher en fin d'après-midi pour rencontrer le président Déby. En me quittant, Bédoum, inquiet que l'invitée de son patron ne soit pas satisfaite, me demande si j'ai besoin de quoi que ce soit.

— Non, ça ira, monsieur Bédoum. Merci.

Je suis aux anges, tout simplement heureuse. Je n'ai qu'une envie, c'est que le temps s'arrête.

À dix-sept heures, le directeur du protocole du chef de l'État me fait appeler. Deux hommes m'attendent dans le hall de l'hôtel. Je revêts une tenue saharienne vert kaki et pars avec eux dans la voiture, bloc-notes et stylo dans mon sac à main.

Devant la présidence, la voiture ralentit. Les militaires, équipés de kalachnikovs, tiennent à apercevoir mon visage. Bédoum échange quelques mots en arabe tchadien avec leur chef, qui ouvre le portail pour nous laisser passer.

— Ouh, ils ont l'air sévères ! dis-je à propos des militaires, pour tenter de décrisper Bédoum, qui semble toujours préoccupé.

— Mademoiselle, avec les gens de la sécurité de la présidence, on ne s'amuse pas. Ils peuvent vous tirer facilement dessus s'il y a une menace.

— C'est déjà arrivé ?

— Oh oui ! D'ailleurs, les Tchadiens évitent de passer devant la présidence, particulièrement à la nuit tombée.

Le président m'attend dans le jardin. Calme et décontracté, il est assis sur un fauteuil confortable.

— Vous avez fait bonne route ? Le climat est chaud dans mon pays. Les Tchadiens ne connaissent que la chaleur et s'y habituent. En revanche, pour vous autres Européens, c'est parfois dur, N'Djamena. Mais vous allez vous y faire, il y a des endroits magnifiques pour se rafraîchir au bord du fleuve Chari.

Il sourit. Il est content que j'aie accepté son invitation et que je fasse preuve de tant d'entrain à l'idée de découvrir le Tchad.

— Excellence, je trouve votre pays splendide !

— Merci. Il faut le visiter ! Le Nord est somptueux, avec ces grands déserts et les oasis, et le Sud aussi, verdoyant.

— Le Nord, d'où est originaire votre famille ?

Il sourit encore plus :

— Ma famille est originaire de Fada, plus à l'est du Tchad, sur le plateau de l'Ennedi. Nous sommes des hommes du désert ; mon père était berger.

Pendant plus d'une heure, nous échangeons nos points de vue sur l'Afrique, la France, la place du Tchad. J'ai en face de moi un homme confiant et très ouvert au dialogue. Il me fait quelques confidences sur certains rebelles qui logent dans les îlots du lac Tchad, et qui font partie du MDD (Mouvement pour la démocratie et le développement). Il est préoccupé par leur présence entre le Tchad et le Nigeria ; il se demande si des étrangers, peut-être des pétroliers, les financent. Il a du mal à me vouvoyer. Par moments, sa langue fourche et il me tutoie. Il a vingt ans de plus que moi, je suis une femme occidentale, bien différente des femmes du Tchad. Je le sens confiant.

— Qu'en pensez-vous ? Cette compagnie pétrolière est-elle susceptible d'entretenir la rébellion ? me questionne-t-il. De plus en plus d'éléments m'amènent à le croire. Ce pays ne connaîtra donc jamais la paix ? On a enduré tant de guerres ! »

Il y a cinq ans, après être resté des mois dans le maquis, il a renversé par les armes le régime du dictateur Hissène Habré. Sa plus grande crainte est de voir les rebelles s'attaquer à N'Djamena.

— Le peuple a trop souffert, cela doit s'arrêter ! tempête-t-il.

Douze ans plus tard, cette inquiétude se concrétisera, et, de retour au Tchad, je vivrai les heures les plus éprouvantes de mon existence, au milieu des tirs de mortiers et des grenades de la rébellion.

Après une heure d'audience, le directeur du protocole vient rappeler discrètement au chef de l'État qu'il a une autre obligation. Tout est allé trop vite, j'ai le sentiment que nous n'avons pas abordé des tas de sujets pourtant fondamentaux, à commencer par son élection, raison de ma venue. Le dernier regard qu'il me lance, alors que je ramasse mon sac, est éloquent.

— J'ai une obligation, je te vois bientôt. Très bientôt ! Je dois assister à une cérémonie dans le pays. Ça ne me prendra que quelques jours, attends mon retour. Mes hommes sont à ton service.

Alors que la nuit vient de tomber, le directeur du protocole me ramène à l'hôtel. Je suis songeuse. Je repense aux propos du président de la République, au jeu possible de cette compagnie pétrolière qui, selon lui, est très probablement en train d'instrumentaliser les groupes d'opposition. J'ai besoin de changer d'air, de découvrir le pays. Je décroche le téléphone du hall d'hôtel et appelle Bédoum :

— Dis-moi, Bédoum, il rentre quand, le PR ?

Bédoum me semble bien plus décontracté que les heures précédentes :

— Dans huit jours. Il a une tournée dans le sud du pays.

Bédoum l'a bien compris, cette nouvelle me contrarie. J'avais envie de revoir le président au plus vite, de parler avec lui, de le regarder sourire.

— Autant que cela ? Je dois l'attendre tout ce temps !

Bédoum rit au téléphone.

— Beaucoup d'entre nous l'attendent des semaines entières, il faut être patiente. Il est très occupé. Vous pouvez vous reposer au bord de la piscine, je vous ferai visiter le marché artisanal.

Je n'ai pas fixé ma date de retour et cela m'importe peu. Je sens que ce séjour au Tchad va se prolonger, mais je ne culpabilise pas, loin de la campagne électorale française, de tous ces hauts fonctionnaires et apparatchiks méprisants.

Ce soir-là, avant de regagner ma chambre, alors que j'erre dans les couloirs du Novotel, mon regard se pose sur un prospectus, affiché au mur, sur les éléphants du parc de Wasa, au Cameroun. J'appelle Bédoum :

— Dites-moi, Bédoum, Wasa, on peut y aller facilement ?

Il reprend son ton de voix anxieux :

— Non, mademoiselle, c'est impossible. La route est trop mauvaise, il y a des coupeurs de route. Personne n'y va.

J'ai compris par la suite que Bédoum ne voulait pas que j'aille à Wasa. J'étais l'invitée du PR, qui avait confié ma sécurité à ses hommes ; et, bien sûr, elle ne pouvait être garantie que sur le territoire tchadien.

Le lendemain soir, je profite du week-end de Pâques pour libérer Bédoum. Devant se rendre disponible nuit et jour, il passe très peu de temps avec sa femme et ses enfants et a l'air d'en souffrir. Je suis sûre qu'il acceptera de les rejoindre s'il sait que je reste à l'hôtel en attendant l'arrivée du PR. Tout de même, il hésite :

— C'est sûr, vous n'allez pas vous ennuyer ?

— Non, Bédoum, soyez à l'aise avec moi, je suis quelqu'un de très simple qui ne s'ennuie jamais.

Il est sans doute loin de se douter que, faisant fi de ses conseils, je m'apprête à partir en week-end dans la fameuse réserve de Wasa. Je ne veux surtout pas l'affoler. Je souhaite qu'il profite de sa famille pendant que j'assouvis ma passion : les éléphants. Le PR est en mission à l'intérieur du pays, il n'en saura rien.

Le directeur de l'hôtel me fournit tous les renseignements nécessaires pour me rendre à Wasa : je dois prendre un véhicule jusqu'à la frontière et, ensuite, continuer sur une centaine de kilomètres.

À huit heures du matin, j'embarque dans un des taxis de l'hôtel. Bien que la voiture soit une vieille Peugeot en piteux état, je dois négocier avec son propriétaire, Mahamat, pendant une bonne vingtaine de minutes pour qu'il accepte de me conduire à la réserve.

— Madame, toi, tu es riche, tu peux payer deux cent mille francs CFA.

Mahamat s'en donne à cœur joie dans cet exercice de négociation qui, pour moi, est épuisant :

— Mahamat, c'est trop ! Je ne suis pas riche.

Il insiste :

— Alors cent quatre-vingt-dix mille francs CFA !

Je feins alors de sortir du véhicule :

— Mahamat, on annule, je prends un autre taxi.

Je suis déjà en train de récupérer mon sac de voyage dans le coffre de la voiture lorsque Mahamat s'approche de moi, plus conciliant :

— *Halas*, cent cinquante mille francs CFA. Mais tu payes l'essence. Il n'y a pas beaucoup de taxis aujourd'hui, c'est la fête demain, tout le monde est en famille à la maison.

Mahamat doit dire vrai, le parking de l'hôtel est vide. Je sais qu'il exagère sur le prix, mais je n'ai pas d'autre solution. Je suis une Blanche, une *nassara*, et, pour les Tchadiens, comme pour les Africains en général, le Blanc est celui qui a de l'argent et à qui l'on peut réclamer systématiquement le double de ce que l'on demanderait à un local. Ça fait partie du jeu. Le Blanc qui vit en Afrique connaît cela et s'en accommode.

Mahamat démarre et nous traversons lentement le boulevard qui longe la présidence. Étant donné le bruit que fait la vieille Peugeot, je commence à m'inquiéter. Parviendrons-nous un jour à la réserve de Wasa ? Je sens qu'on peut tomber en panne à tout moment. Et sur le pont au-dessus du fleuve Chari – de l'autre côté, c'est le Cameroun –, la voiture, tout à coup, s'immobilise. Je me penche vers le chauffeur :

— Mahamat, panne ?

Mahamat reste impassible, accroché à son volant comme si de rien n'était. Il me fait signe de descendre de la voiture et de jeter un coup d'œil sous le pont :

— Non, pas panne, hippopotames !

Ils sont là, peut-être une dizaine, aux trois quarts immergés, leurs petites oreilles dépassant de la surface, plongeant et refaisant surface un peu plus loin. En ce mois d'avril, les eaux du fleuve commencent à se tarir et je peux observer non seulement les hippopotames, mais aussi les femmes vêtues de tissus colorés qui portent leurs paniers remplis de linge. J'assiste à un spectacle magique.

Quand je remonte dans la voiture, Mahamat remarque l'expression radieuse de mon visage :

— Toi, tu aimes les animaux, madame. Vous, les *nassaras*, vous aimez les hippopotames et les éléphants.

— Pas toi, Mahamat ? Ces hippopotames sont pourtant magnifiques !

— Nous, les Tchadiens, ça nous importe peu. Les éléphants, ils sont même mangés par les sudistes. Et, autrefois, ils mangeaient même les hippopotames, me répond-il, amusé.

— Toi aussi, Mahamat ?

Il fait un signe de la tête :

— Non, moi, je suis musulman ! On peut pas manger ça !

Je suis sous le choc. Jamais je n'aurais pu imaginer que certaines populations du sud du pays mangeaient les éléphants. Je suis encore loin de me douter que, dans quinze ans, je ferai de ma vie un combat permanent pour la survie des éléphants du Tchad, non pas contre les mangeurs de viande de brousse, qui sont somme toute un moindre danger, mais contre des groupes surarmés qui poursuivent les éléphants d'Afrique pour exporter l'ivoire de leurs défenses vers la Chine.

La route qui relie Kousséri à Wasa n'est pas longue, mais elle est réputée dangereuse à cause des coupeurs de route. Pour l'instant – il est à peine dix heures –, elle est déserte. Mahamat roule à très vive allure. J'ai l'impression qu'il se sent menacé, mais je ne sais pas encore par quoi. Après une trentaine de kilomètres à peine, il commence à zigzaguer, tournant son volant de droite et de gauche. La voiture oscille sur la route à une vitesse vertigineuse.

— Ça ne va pas, Mahamat ? Que se passe-t-il ?

— Ça va, madame, mais ils sont là, je les ai vus dans le rétroviseur.

Le visage de Mahamat a changé, son regard est empreint de peur.

— La tête, baisse-la ! Ça va passer !

Je n'ai même pas le temps de lui poser davantage de questions qu'une détonation retentit. La voiture est prise pour cible. C'est la première fois que j'entends une balle siffler. Suivent encore deux autres coups de feu.

Soudain, le calme revient. Sous le choc, je suis restée plus de vingt minutes assise au pied du fauteuil arrière, de peur qu'on nous tire à nouveau dessus.

— Y a rien ! C'est fini, *halas* ! s'écrie Mahamat, visiblement amusé de ma réaction.

Alors seulement je me redresse. Le danger est loin derrière nous. Mahamat est très fier de lui :

— Y a rien, avec Mahamat tu crains rien ! Ça fait vingt années que Mahamat il conduit. Avant, Mahamat il conduisait des camions, Mahamat il connaît la route. *Bismillah*, Allah est grand !

J'appris bien plus tard que cette route était celle que devait emprunter le pipeline reliant le Tchad au nord du Cameroun. Il avait fallu déployer des mercenaires dans les années 1990 pour en sécuriser la construction et décourager ces hommes armés, les coupeurs de route. Étaient-ce les mêmes qui tuaient les éléphants du Tchad, passant du Soudan en Centrafrique jusqu'au Cameroun pour transporter les défenses d'ivoire ? C'est une hypothèse tout à fait envisageable. En tout cas, quinze ans plus tard, je peux affirmer que la communauté internationale n'a pas hésité un seul instant à employer des hommes lourdement armés pour sécuriser un pipeline à coups de millions de dollars, tandis qu'aucun fonds n'a jamais été déployé pour protéger les malheureux pachydermes en voie d'extinction, abattus comme des rats, défenses arrachées.

Quand le taxi s'arrête devant les huttes aux toits de paille du camp de Wasa, je ressens le besoin de passer quelques jours à explorer la brousse. Mahamat comprend tout de suite qu'il ne rentrera pas avec sa passagère ; il retourne à N'Djamena le soir même, seul.

J'ignore si je suis le genre de personne à recevoir des cadeaux, mais, à ce moment précis, dans ce lieu précis, j'ai conscience que rien au monde ne peut me faire plus plaisir que ce spectacle que la nature m'offre. Je reste plusieurs jours dans la réserve. Je passe les fêtes de Pâques les plus belles de ma vie, seule, écoutant les cris des hyènes la nuit, le barrissement des éléphants à la tombée du soleil, tellement heureuse, oubliant tout, jusqu'à N'Djamena et cet homme du désert qui m'intrigue tant, le PR, et pour lequel je ressens une certaine affection.

Il y a beaucoup d'éléphants dans le parc et ils sont très sociables, se laissent approcher facilement. Je suis ravie, loin de me douter que, en avril 2010, avec mon équipe de SOS Éléphants, je retournerai dans le nord du Cameroun à la poursuite d'un groupe de braconniers et que je n'y trouverai pas les précieux pachydermes. Je ne saurai pas s'ils se cachent des humains ou s'ils ont tout simplement disparu sous les balles des braconniers.

Les éléphants d'Afrique centrale ne seront bientôt plus que des légendes colportées par les anciens des villages africains. Eux seuls pourront témoigner de leur jeunesse où, rentrant le soir au village après le travail aux champs, ils étaient accompagnés par le barrissement des éléphants, ceux-là mêmes qui ont inspiré Romain Gary pour son livre *Les Racines du ciel*, prix Goncourt 1956. Romain Gary était un visionnaire. Il avait tout compris de la tragédie des éléphants du Tchad. Récemment, j'ai relu ce livre : en 1953, au Tchad, un Français du nom de Morel essaie de défendre les éléphants en tentant de faire signer une pétition. Devant l'échec de cette initiative, il prend le maquis et mène des actions armées contre les plus grands braconniers.

Mars 2011 : je viens juste d'ouvrir une pétition contre le gouvernement chinois, l'implorant de bannir totalement l'achat d'ivoire, car ce sont les acheteurs qui entretiennent le trafic, à l'origine des tueries qui font naître en moi une très profonde révolte.

2

Excursion au lac Tchad

Contrairement à ce que je pensais, quand j'arrive à N'Djamena, le PR est déjà rentré. Ma « disparition » l'a apparemment rendu furieux et c'est son protocole qui en a pâti. Le directeur du protocole m'attend dans le hall, blême, en compagnie du directeur de l'hôtel.

— S'il vous plaît, mademoiselle, appelez le palais. Tout le monde vous cherche, le patron est fâché.

Je m'exécute :

— Allô, la présidence ?

— Oui, qui demandez-vous ?

— Le chef de l'État, s'il vous plaît.

Je viens à peine de prononcer ces quelques paroles qu'on me répond :

— C'est Stéphanie ?

— Oui.

Le ton de la voix du standardiste de la présidence change subitement, comme si on lui avait donné l'ordre de signaler comme urgent chacun de mes appels :

— Surtout ne quittez pas, je vous passe le chef de l'État.

Le président s'est beaucoup inquiété. Éprouve-t-il pour moi plus que de la sympathie ou est-ce juste lié à ma qualité d'hôte un peu spéciale, appartenant à une certaine intelligentsia en France, qu'il courtise ou du moins avec laquelle il ne veut surtout pas avoir le moindre problème.

— Comment vas-tu ? me demande-t-il, glacial.

— Bien, Président. Et vous-même ?

— Ça va. Je me suis inquiété quand le directeur du protocole m'a dit que tu étais introuvable. Tu ne peux pas disparaître comme cela et quitter le pays !

— Je vous prie de m'excuser.

— Ça va, ça va.

Enfin, le ton de sa voix change. Il devient plus chaleureux et jovial :

— Je te vois tout à l'heure !

Dans la soirée, je le rejoins au palais. Il est souriant.

— Ne me refais pas l'affaire Claustre, les Français vont me tomber dessus !

Ces propos m'arrachent un sourire. Françoise Claustre, ethnologue et archéologue française, s'est fait kidnapper dans le nord du Tchad en avril 1974. Elle est restée prisonnière pendant presque trois années avant d'être libérée sur intervention de la France. Ni le contexte ni les protagonistes ne sont les mêmes, mais cette histoire a profondément marqué le président Déby. Jusqu'à maintenant, quels que soient les jugements que l'on puisse émettre sur lui ou sur son régime, il me semble qu'il a toujours garanti la sécurité des étrangers sur son territoire. Je lui en suis reconnaissante. Au Tchad, le visiteur est respecté, c'est la tradition qui veut cela.

De retour à l'hôtel, le directeur du protocole me rappelle et me demande de me tenir prête tôt le lendemain matin, en tenue champêtre. Une surprise m'attend.

À cinq heures du matin, je suis habillée en tenue saharienne et je patiente dans le hall de l'hôtel. Le directeur du protocole vient à ma rencontre. Je monte dans la voiture et, escorté par trois Jeep bondées de militaires de la garde présidentielle, nous partons sur une route de campagne.

— Où allons-nous ?

— C'est une surprise que te réserve le patron.

— Une surprise ?

Je sais dès lors que je me rends dans un endroit magique. Après deux heures de route, nous arrivons sur les bords du lac Tchad. Trois grandes pirogues à moteur nous attendent. J'embarque dans l'une d'elles, suivie de près par le directeur du protocole. Les militaires, les kalachnikovs pointées en l'air, montent à bord des deux autres.

— Bédoum, ils sont armés jusqu'aux dents. Est-ce bien nécessaire ?

— Les militaires sont là pour notre sécurité. Un militaire sans arme n'est plus un militaire.

Les propos du président sur le fameux MDD me reviennent à l'esprit.

Après quelques heures de route, nous arrivons au lac Tchad. Il est majestueux. Je reste subjuguée devant ces oiseaux qui ressemblent à des cigognes et les hippopotames ouvrant grand la gueule. De temps à autre, nous croisons des pêcheurs. Bédoum tente de déchiffrer les expressions de mon visage.

— Le lac Tchad est beau, n'est-ce pas ?

— Oui, cet endroit est magnifique !

Je suis heureuse. Je pense au président, assis dans le fauteuil de son jardin, à la présidence. Je suis extrêmement touchée par son geste.

À plusieurs reprises, les barques accostent sur les îlots et les populations locales nous accueillent. C'est toujours le chef de village qui est en tête du cortège, suivi par le chef traditionnel et les villageois, les femmes en pagne riant derrière, un peu en retrait. Les villageois sont très contents de nous voir arriver.

— *Salam alikoum !*

— *Afe ?* (Ça va ?)

— *Afe !* (Ça va !)

Puis nous sommes invités à boire un thé vert sur une natte en paille, sous un arbre. Ces gens reçoivent très peu de visites de N'Djamena. Certains d'entre eux voient une Blanche sur leur îlot pour la première fois. Je suis le centre d'intérêt des femmes. Elles ne cessent de me regarder et de pouffer de rire.

— Dis-moi, Bédoum, pourquoi rient-elles tant ?

Bédoum sourit et leur adresse la parole en arabe tchadien.

— Elles sont intimidées par votre présence. C'est la première fois qu'elles rencontrent une femme blanche. Elles
n'ont jamais vu de cheveux longs et clairs comme les vôtres.
Chez nous, la plupart des femmes ont les cheveux très courts
et très noirs et elles les tissent pour les rallonger.

À midi, nous repartons, toujours sous bonne escorte. La
chaleur est étouffante, il doit faire environ 45 °C. J'ai besoin
de me rafraîchir.

— Bédoum, peut-on s'arrêter dix minutes ? Je souhaiterais nager.

À peine ai-je prononcé ces quelques mots que Bédoum
fait couper le moteur. Sans plus attendre, je me glisse dans
l'eau du lac, habillée de la tête aux pieds pour ne pas pro-
voquer la garde présidentielle avec mon maillot de bain. Les
militaires saisissent cette opportunité pour plonger à leur
tour. Ils ne savent pas nager. Je les observe s'éloigner de
quelques centimètres de la barque puis s'y raccrocher à une
vitesse impressionnante, au moment même où ils commencent à couler. Le lac Tchad n'est pas profond et je peux juste
sentir le sol sous mes pieds, du haut de mon mètre quatre-
vingts. Tout en gardant un œil sur les hippopotames – ils
peuvent être très agressifs –, je lâche la barque et me mets
à nager. Un des bains les plus réjouissants de mon existence !
Nous finissons par tous remonter dans les barques et, lentement, nous nous dirigeons vers la berge.

— On rentre déjà ?

— Non, pas tout de suite, on va d'abord manger la boule.

La boule, faite de maïs ou de mil, est le plat traditionnel
tchadien. La plupart du temps accompagnée d'une sauce
gluante, la sauce gombo, il est d'usage de déguster la boule
avec les doigts de la main droite. Contrairement à moi, les
Tchadiens sont remarquablement habiles dans cet exercice.
Encore maintenant, pourtant habituée au goût un peu âcre
de la sauce gombo, je reste très maladroite dans le maniement

de mes cinq doigts pour tremper le mets savoureux dans la sauce gluante et élever le tout vers ma bouche.

En 2010, je suis repartie à la recherche de ces îlots « sacrés » et ne les ai pas retrouvés. Cette vaste étendue d'eau a quasiment disparu et laisse progressivement la place à des marécages, puis à des surfaces de terre craquelée. Le gouvernement tchadien tente d'alerter la communauté internationale sur la disparition imminente du lac Tchad. Le désert avance à grands pas dans cette région d'Afrique.

Le soir, je rentre tard à l'hôtel. Mon séjour s'est déroulé sans la moindre fausse note et il me faut déjà penser à repartir en France. Avant mon départ, le PR, avec qui j'ai rendez-vous quelques semaines plus tard à Paris, m'appelle :

— Je suis très content de vous, il faudra revenir !

Je promets au président de lui suggérer un plan de stratégie pour ses élections et je souhaite le lui soumettre au plus vite.

3

Le PR

Paris, mai 1995

Fervente militante, je me suis beaucoup investie dans la campagne de Jacques Chirac : alors que la querelle avec Balladur se propageait jusque sur le continent africain, je suis allée à la rencontre de nombreuses personnalités africaines, politiques et spirituelles, afin de leur rappeler que Jacques Chirac était le meilleur candidat. J'espère donc, maintenant qu'il est élu, intégrer la cellule africaine de l'Élysée. C'était sans compter tous les hauts fonctionnaires avec lesquels j'ai travaillé lors de la campagne électorale, qui se sont emparés du palais du président de la République française et complotent pour se réserver les meilleurs postes.

Je ne suis pas énarque et, de surcroît, je suis une femme. En politique, dans un monde d'hommes donc, cela reste un handicap. On me fait rapidement comprendre qu'il va être très difficile de m'intégrer aux affaires africaines. Je suis anéantie. J'ai l'impression d'avoir été manipulée par des gens que je considérais pourtant comme des amis. C'est ça la politique : un jour on vous demande, on fait appel à vos compétences, et soudain, sans explication, parce qu'on n'a plus besoin de vous, on vous exclut.

Quelques semaines plus tard, comme prévu, j'ai rendez-vous avec Idriss Déby à Paris. Je suis d'autant plus heureuse de le revoir que je suis désormais totalement libre pour l'épauler dans la préparation des élections. Je le retrouve à son hôtel, dans le 8ᵉ arrondissement. Il a l'air exténué, probablement à cause des rendez-vous qui s'enchaînent, et l'idée me vient de l'inviter dans un bon restaurant parisien. Je veux qu'il se détende.

— Président, acceptez mon invitation, je vous en prie.

Il esquisse un grand sourire. C'est son directeur du protocole, constamment sur son dos, qui me répond :

— Tu sais, il ne peut pas. Nous avons trop de contraintes pour sa sécurité.

— Mais alors il est prisonnier de sa situation !

Le directeur du protocole baisse les yeux :

— C'est ça, le pouvoir. Vous pouvez tout, mais vous n'êtes plus libre de rien. Vous appartenez à l'État.

Cette vérité me désole. Le PR est enchaîné, il n'est libre ni de ses mouvements, ni de son emploi du temps ; il me faut l'accepter.

À peine rentré au Tchad, le président m'appelle chez moi, à Paris, et m'invite à revenir dans son pays.

N'Djamena, juin 1995

Mes allées et venues au Tchad commencent à faire jaser. Je sais que le président Déby a plusieurs épouses. Je suis de plus en plus courtisée par les bonnes familles tchadiennes proches du pouvoir. Elles connaissent bien leur « frère président » et je pense que nombre d'entre elles s'imaginent déjà que la première dame du Tchad va être une *nassara*. Mais ma relation avec Idriss Déby, chaleureuse, reste respectueuse. Il est très pris par son travail et son entourage.

Je commence de mon côté à me familiariser avec le Tchad. Le pays est beau, les gens simples et accueillants. Un soir, à la tombée de la nuit, le directeur du protocole m'appelle et me demande de me préparer pour un dîner. Jusqu'ici, rien d'exceptionnel. La voiture me conduit à l'extérieur de la ville, chez le président de l'Assemblée nationale. Je l'ai déjà rencontré à Dakar, quelques mois plus tôt, lors d'un sommet entre parlementaires européens et pays du bloc ACP (Afrique-Caraïbe-Pacifique). Chez lui, nous nous installons sur un tamis dans le salon, tandis que son épouse, dont je peine à apercevoir le beau visage encadré de tissus colorés, nous apporte, un par un, des mets fastueux.

— Elle est très belle, Bachar.

— Mais toi aussi, tu es belle, tu es notre princesse *nassara*, s'esclaffe Bachar, qui se lève brusquement.

Un homme de grande taille vient de faire son apparition. C'est le président de la République.

— Tu vois, je peux quand même traverser N'Djamena pour dîner avec toi, me lance-t-il avec un grand sourire narquois.

Il vient de parcourir N'Djamena incognito, avec deux simples soldats, lui qui, pour des raisons de sécurité, bloque la ville durant plusieurs heures à chacun de ses déplacements. Les Tchadiens ont même trouvé un nom à cette paralysie : le « tapis rouge ».

Il s'assoit et nous dînons côte à côte, comme de vieux amis, parlant de tout et de rien. Il évoque ses rizières, dans une de ses propriétés non loin du fleuve Chari. Très fier, il veut absolument que j'aille y faire un tour le lendemain avec lui. Bachar et lui, qui semblent être de vieux amis, se jettent un coup d'œil complice.

— J'ai l'impression que le président a décidé d'épouser une Française, s'exclame Bachar.

Je me tourne alors vers le président :

— Mais je travaille pour vous !

Sans me laisser le temps de continuer, il se lève, quitte la pièce sans un mot et monte dans sa Jeep militaire qui démarre dans un nuage de poussière. Je ne sais pas au juste ce qui l'a fâché, mais le lendemain je n'ai reçu aucune nouvelle.

L'harmattan s'est alors mis à souffler. Les Tchadiens, qui sont superstitieux, pensent que le vent chaud et fort est porteur de mauvaises nouvelles. Étrangement, c'est à ce moment-là que j'apprends que l'entourage proche du président lui a raconté que je suis partie avec un amant tchadien au Cameroun et que j'appartiens aux services de renseignements français. Trop proche de lui, je suis devenue la cible des courtisans du palais, ceux-là mêmes qui passent leur temps à colporter des rumeurs afin de conserver leur influence. Ce cercle doit rester fermé, sans doute pour mieux profiter des opportunités financières qui pullulent autour du chef de l'État.

Idriss Déby est sorti de ma vie comme il y est entré, après avoir traversé une ville entière sans escorte. C'était probablement notre destin. Je suis devenue fataliste, comme les Africains quand le sort s'acharne sur eux. Pendant plus de quatorze ans, je n'ai pas revu le PR. Je suis partie travailler comme experte électorale aux quatre coins du globe, pour le compte de l'ONU ou de la Commission européenne, au Congo-Kinshasa, en Éthiopie, au Venezuela, au Nicaragua, en Sierra Leone, même en forêt amazonienne, où j'ai commencé à prendre la défense des Indiens Guarani, jusqu'au jour où la Commission européenne m'a recrutée, via un cabinet d'experts, pour appuyer les réformes du processus électoral au Tchad. J'ai longtemps hésité. Mon amie tchadienne Tamara, proche d'un chef rebelle qui, en 2006, venait juste de manquer son coup d'État, ne cessait de critiquer le régime et faisait partie de la rébellion armée. Je ne savais plus à quoi m'attendre, je m'inquiétais de l'accueil qui allait m'être réservé.

Finalement, en août 2007, alors que je suis en Grèce sur l'île de Patmos, j'accepte de retourner à N'Djamena en tant qu'experte électorale et quitte mon île pour la poussière et le désert.

4

Retour au Tchad

Il est vingt-trois heures quand mon avion atterrit. L'air est chaud et il pleut légèrement. Je m'attendais à ce que la délégation de l'Union européenne au Tchad m'envoie un véhicule, mais après vingt minutes d'attente, je dois admettre qu'ils m'ont oubliée. C'est un tel contraste avec les missions d'expertises électorales que je remplis depuis quelques années sous l'égide de l'ONU, où il y a toujours quelqu'un pour vous accueillir, vous briefer sur la sécurité et vous souhaiter la bienvenue. Là, rien, l'aéroport Hassan-Djamous se vide peu à peu, et je reste seule avec les agents de la sécurité aéroportuaire et les deux porteurs qui surveillent mes valises à quelques mètres de l'entrée de l'aéroport mal éclairé.

Un pick-up bourré de militaires en armes passe alors devant moi à vitesse moyenne. Les soldats de la garde présidentielle, leur béret rouge sur la tête, sont entassés à l'arrière du véhicule, kalachnikovs pointées en l'air, prêts à dégainer. Un des porteurs de valise s'adresse alors à moi :

— Vous ne pouvez pas rester là, il faut que vous preniez un taxi !

Je suis ses conseils et me dirige vers le premier taxi disponible. C'est une vieille Peugeot délabrée qui sent le moisi.

— C'est combien pour le Novotel ?

— Dix mille francs CFA.

— C'est cher !

— Il est tard, madame, très tard. Tout le monde est couché, sauf moi.

Sur la route non éclairée, nous sommes suivis par un second pick-up, sur le même modèle que le premier. Dans le rétroviseur, j'aperçois des militaires, entassés et fortement armés. Mon chauffeur ralentit pour les laisser passer. Je me penche vers le chauffeur :

— Que de militaires dans cette ville, monsieur ! Que se passe-t-il ?

— Rien. Rien du tout, me répond le chauffeur tout en accélérant.

— Rien ? Mais les militaires sont partout !

— Vous savez, madame, avec la rébellion qui nous menace, les militaires sont sortis des casernes. Ils patrouillent dans la ville.

— Où sont-ils, ces rebelles ?

— À l'est ; ils stationnent juste de l'autre côté de la frontière soudanaise.

Le véhicule franchit le barrage de sécurité de l'hôtel et se gare juste devant l'entrée. Après avoir porté ma valise à l'accueil, le chauffeur s'approche de moi :

— Il n'y a rien, madame, il ne faut pas y penser. Dieu est grand, *inchallah* ! Nous, on est habitués ; en avril 2006, les rebelles étaient aux portes de N'Djamena et ils sont repartis. Dieu ne leur a pas montré la direction du palais. C'est Dieu qui choisit !

— Quelle direction ont-ils prise ?

— Ils ont confondu le palais du 15 janvier où il y a le Parlement et le palais de la présidence.

Je le salue, songeuse, et pénètre d'un pas rapide dans le hall de l'hôtel. C'était donc cela : le régime d'Idriss Déby était encore menacé. Fraîchement débarquée de mon île grecque, où la vie n'était que farniente, je suis là pour aider les autorités à mettre en place les réformes démocratiques nécessaires à la tenue d'élections transparentes. Désignée par la Commission européenne, j'ai désormais la lourde tâche de mettre en œuvre ce processus tant attendu par les leaders de l'opposition qui ont boycotté les précédentes élections.

Le lendemain, au cours d'un cocktail, je fais la connaissance de tous les chefs de partis politiques du Tchad. Ils viennent de signer une entente sur les réformes électorales, parrainée par le chef de l'État et facilitée par la Communauté européenne. Au milieu de tous ces hommes, je réalise qu'aucun de leurs visages ne m'est familier. Après douze ans d'absence, je redécouvre totalement le pays.

Lors de cette soirée, Jean, l'expert que je dois remplacer, me présente au chef de la délégation de l'Union européenne. C'est un homme approchant la soixantaine, de grande taille, aimable de prime abord, aimant manifestement pérorer devant le parterre de politiciens tchadiens.

— Honorables messieurs les ministres, messieurs les députés, messieurs les chefs de partis politiques...

Son discours est plutôt fluide. Il se met alors à raconter une blague à l'auguste assemblée, puis une deuxième. La salle applaudit, de toute évidence son humour est apprécié. Ma première réaction est de sourire aussi, mais Jean à côté de moi me pince discrètement le bras.

— Ne te fie pas aux apparences, ils sont tous très exigeants, même compliqués, et lui, il est carrément autoritaire, voire despotique.

— Ah bon ? Il a pourtant l'air cool, et eux aussi !

— Fais gaffe, ce n'est pas facile de travailler ici, j'en ai soupé, je te laisse le bébé. Fais vraiment gaffe à lui ; faussement cool, ne te mets jamais en travers de sa route, il n'a aucun humour !

De retour à hôtel, un Tchadien, belle allure, cravaté, m'interpelle dans le hall.

— Vous vous souvenez de moi, madame ?

— Euh... non.

— Je suis Mahamat Nassour, le président d'un des partis politiques de l'opposition. J'étais moi aussi à la réunion avec les partis politiques. J'ai besoin de vous parler, vous voulez bien m'accorder un instant, s'il vous plaît ?

— Quand ?

Je suis tellement fatiguée que je m'apprête à lui refuser cet entretien, mais son regard suppliant m'en empêche. J'ai l'impression qu'il va se mettre à genoux.

— OK, je vous accorde quinze minutes, pas une de plus !

Nous nous isolons dans les salons du jardin de l'hôtel. Mahamat reprend petit à petit son calme.

— En quoi puis-je vous aider, Mahamat ?

— Soutenez mon parti ! Il nous faut de l'argent pour battre le MPS, organiser les meetings et donner à boire aux militants.

Il semble si innocent, il n'a pas l'air de réaliser qu'il me demande l'impossible.

— Mahamat, ce n'est pas dans mes cordes, ni dans celles de l'Union européenne, de financer directement un parti politique !

Il se fait de plus en plus suppliant, il m'attrape la main :

— Alors aidez-moi à être ministre, suggérez mon nom au président pour que je sois nommé. S'il vous plaît !

La situation devient embarrassante ; je prétexte un rendez-vous pour pouvoir filer. Cette conversation me laisse songeuse : jamais je n'aurais imaginé que la classe politique avait une telle image de l'Union européenne. Pour eux, nous ne sommes en fait qu'un gros bailleur qui fait la pluie et le beau temps dans le pays. Je me suis longtemps demandé si cela tenait à la personnalité du chef de la délégation de l'Union européenne au Tchad ou à l'Union européenne elle-même, qui injecte des millions d'euros chaque année dans l'aide au développement des pays de la zone Afrique, Caraïbe et Pacifique.

Jean est parti le lendemain par le premier avion, sans que nous ayons eu une vraie discussion sur les embûches qui m'attendaient. Il m'a tout juste briefée sur le processus électoral et s'est empressé de déguerpir.

— Dis-moi, Jean, pourquoi es-tu si pressé de partir ?

— Bon courage, ma chère, bon courage. Du courage, il va t'en falloir.

Quelques jours plus tôt, j'ai quitté le Novotel pour un autre hôtel qui pratique des prix plus raisonnables et qui abrite le plus chic restaurant de la ville, Le Central, tenu par un ancien légionnaire. Alors que j'y dîne, un homme noir de grande taille m'interpelle.

— Stéph, ça alors, ma sœur ! Quelle bonne surprise ! Que fais-tu au pays ?

C'est Daoud, le gendre du président de la République, que je n'ai pas vu depuis douze ans.

— Daoud, ça par exemple ! Comment vas-tu ? Je suis revenue au pays pour m'occuper des élections avec la Commission européenne.

— Ça, c'est une bonne chose, ma sœur, mais fais gaffe aux opposants. Tu es de la famille, n'écoute pas les fripouilles qui vont te dire n'importe quoi de mal sur le régime. Le pays va bien maintenant, on a fait beaucoup de progrès. On sort de la pauvreté petit à petit, le PR a fait jaillir le pétrole !

Le week-end suivant, Daoud me présente au directeur personnel du protocole du chef de l'État, Said. Celui-ci a organisé une fête dans une très belle propriété avec piscine, un peu à l'écart de N'Djamena. Au menu, barbecue de mouton, bon vin, musique. La plupart des invités sont des Zaghawas, l'ethnie du président.

La chaleur est déjà étouffante en ce mois de septembre, il doit faire près de 40 °C. Je m'éloigne du groupe et de cette musique trop forte qui sort de la voiture de Said pour aller faire quelques brasses dans la piscine.

— Très jolie gazelle, mais je sais qu'on ne peut pas y toucher, me lance Said en me dévisageant de la tête aux pieds.

J'esquisse un sourire, flattée, déstabilisée aussi, et je tente une pointe d'humour :

— Ah bon ? Quel privilège !

Alors que je sors de la piscine, Said s'approche et me tend une serviette.

— Oui, chasse gardée du patron ! Il est très content que vous soyez revenue chez lui, au Tchad, très content, et il vous souhaite la bienvenue. Vous êtes ici chez vous, faites ce que bon vous semble, vous êtes sous notre protection.

Sur ce, il part rejoindre ses invités. J'aurais voulu en savoir plus : ainsi, le président est au courant de mon retour et il en est ravi ? Je suis flattée, rassurée aussi. S'il ne se manifeste pas, c'est sans doute pour ne pas compromettre ma mission d'expertise au Tchad, mais manifestement il garde un œil sur moi. Sa présence me soulage car, dans ce pays, pour vivre sans rencontrer trop d'embûches, il faut être sous la protection d'une famille, d'un clan. D'autant plus que je ne fais aucunement confiance à la délégation de l'Union européenne installée au Tchad pour me parrainer, donc encore moins pour me protéger en cas de problèmes.

Quelques jours plus tard, je croise, dans le hall du Novotel où je reviens régulièrement lire mes courriels, Suzanne Djangbei et son époux Michel. Je les avais beaucoup fréquentés en 1995, quand Suzanne était membre du Parlement provisoire et que Michel poursuivait sa carrière de général de l'armée tchadienne ; ils sont tous deux très proches du président Déby. Au moment de nous séparer, Suzanne me dit :

— Cette fois-ci, tu ne nous quittes pas, Stéph. Tu es comme notre fille ; reste au Tchad avec ta famille tchadienne, on te trouvera un bon mari, peut-être un Zaghawa, qui sait ?

Suzanne a été témoin de ma relation d'amitié passée avec Idriss Déby et se réjouit que nous nous retrouvions, car elle sait l'affection que nous nous portons. Je ne crois pas qu'Idriss soit un dirigeant sensationnel, ni un homme parfait, loin de là, mais j'admire sa bonté, sa gentillesse et son courage. Il a gardé son âme de soldat, toujours valeureux dans l'adversité. J'aime ça. Et, comme l'a si bien exprimé Montaigne : « Si on me presse de dire pourquoi je l'aimais, je

34

sens que cela ne se peut exprimer qu'en répondant : "Parce que c'était lui, parce que c'était moi." »

En ce mois de septembre 2007, le président Déby est en Chine pour renforcer les accords de coopération entre la Chine et l'État tchadien. Au Bistrot, un bar-restaurant de l'avenue Charles-de-Gaulle, un homme de taille moyenne m'accoste. Il s'appelle Lao Toumai et se présente comme un ami du PR. Ingénieur dans le nucléaire, il est bavard, drôle, et me semble plutôt rusé. Je l'invite alors à ma table et notre conversation se porte très rapidement sur la visite du président en Chine populaire. Au détour de la conversation, il m'annonce que le Tchad s'apprête à émettre trente mille visas pour les ressortissants chinois.

— Trente mille visas ? C'est énorme ! Que vont-ils faire ? Je croyais que les Chinois en voulaient à Déby à cause de l'accord d'amitié et de coopération avec Taïwan ?

— Nous ne sommes pas capables de construire nous-mêmes nos routes, que voulez-vous que je vous dise, ma chère ? Il nous faut pourtant bien des infrastructures pour développer ce pays ! Mais ne vous inquiétez pas, je suis certain que le président sait à quoi s'en tenir. Il se méfie de la volonté hégémonique des Chinois, de leurs promesses de tout bâtir en matière industrielle et aussi de leur jeu au Darfour et avec les rebelles tchadiens. S'ils sont de notre côté, on peut au moins espérer qu'ils feront en sorte que les rebelles tchadiens ne puissent pas s'approvisionner en armes, car figurez-vous que les armes utilisées par les rebelles sont cent pour cent de marque chinoise.

Grâce à Lao, je réalise subitement que le président Déby a probablement organisé cette visite en Chine afin de régler le problème de la rébellion qui, chaque jour davantage, menace N'Djamena.

Lao a petit à petit vidé la bouteille de bordeaux que j'avais commandée ; il est ivre et perd peu à peu toute retenue :

— Le clan Déby est persuadé que les Chinois ne l'aiment pas. Ils savent que leur unique motivation, c'est le pétrole.

Déby a déjà eu des démêlés avec les Chinois il y a quelques années à cause de l'accord avec Taïwan. Mais bon sang, pourquoi nous mêler de ces histoires ? En quoi les Africains sont-ils concernés par cette guerre entre la Chine et Taïwan ? Qu'ils restent avec leurs problèmes, on en a bien assez comme ça de notre côté !

Il est tard. Nous sortons du Bistrot et je raccompagne Lao chez lui en voiture. En m'endormant, je pense au président, à sa vie, qui paraît enviable à certains mais qui, à moi, me semble tragique ; aux problèmes qu'il doit affronter chaque jour. Il y a douze ans, il me faisait déjà part de son exaspération à propos des rebelles. Je constate qu'aujourd'hui le pays est exposé aux mêmes bandes armées.

Mes relations avec le chef de la délégation se dégradent progressivement. Il se comporte avec tous ses collaborateurs comme un petit monarque autoritaire. Personne, parmi la délégation à la tête de laquelle il est, n'a le droit de s'opposer à ses idées, plutôt empreintes de trente ans de néocolonialisme que de trente ans à encourager la bonne gouvernance en Afrique sous l'égide de l'Union européenne. Les consultants qu'il recrute ont un statut de seconde classe, ils sont là pour se taire et effectuer strictement le travail qu'on leur demande. Il irrite énormément les gens de l'opposition, qui l'accusent d'être un sous-marin du président Déby et me font part très régulièrement de leur mécontentement à propos des réformes électorales en cours.

Lors d'une réunion avec les bailleurs de fonds, je me hasarde à défendre une proposition technique que m'a suggérée le secrétaire d'État à l'Aménagement du territoire, un partisan de l'opposition. Le chef de la délégation ne veut pas de cette proposition, et il ne veut manifestement pas que le thème soit abordé, et surtout pas par l'experte que je suis. Lorsque je prends la parole, il me jette un regard glacial et fait tout ce qu'il peut pour m'interrompre. Je réussis néanmoins à placer mes observations ; j'ai respecté mon engagement auprès du secrétaire d'État, qui, même s'il était le premier concerné, n'avait pas pu être invité à cette table ronde.

Une fois la réunion terminée, le chef de la délégation m'interpelle dans le couloir et m'attrape violemment par le col de la chemise. Il est tellement en colère qu'il bave.

— La prochaine fois, je vous fais virer, Stéphanie Vergniault, est-ce bien clair ? C'est moi le chef ici !

Quelques jours plus tard, je suis convoquée dans son bureau :

— Si vous n'aviez pas des amis haut placés dans ce pays, je vous aurais déjà fait vider pour manquements graves !

Je pense qu'il ne supporte pas qu'une femme d'une trentaine d'années lui tienne tête, lui qui se prétend un grand ami du chef de l'État tchadien. Ou peut-être est-il simplement jaloux que quelqu'un de hiérarchiquement inférieur entretienne de meilleures relations avec l'Autorité ? Je ne sais pas exactement ce qui motive son animosité à mon égard, mais je perçois chez lui une espèce de rage qui m'effraie. Il semble véritablement déterminé à me rendre la vie impossible ; je vais devoir redoubler de vigilance afin qu'il ne mette pas ses projets à exécution.

Ses collaborateurs aussi se méfient de lui. Certains consultants à N'Djamena racontent qu'il a été aperçu à plusieurs reprises en train de flirter avec de très jeunes femmes locales, à peine majeures, ce qui me le rend d'autant plus antipathique.

Grâce à mon expérience, je suis un peu différente des autres consultants, qu'il intimide facilement. Mais, surtout, ma passion pour la faune sauvage et les tribus indigènes – que je viens de fréquenter plus de six mois au cœur de la forêt amazonienne en Équateur avant de rejoindre la Grèce – ne me quitte pas et me donne la force de résister. Bref, je ne respecte pas cet homme. Il m'a toutefois prouvé qu'il avait une grande capacité de nuisance : il a réussi à me faire « blacklister » au sein de la Commission européenne, où je n'ai jamais plus retrouvé de travail. C'est ainsi que le monde des consultants fonctionne : nous sommes plus libres que des employés ordinaires, mais nous ne sommes que des pions malléables au service d'institutions. Certaines font toujours prévaloir le dialogue et le respect ; d'autres sont moins scrupuleuses. Depuis, je me dis que la liberté a un prix. Je devais assumer mon choix.

Je suis contente, le programme sur lequel je travaille avance rapidement : plusieurs fois par semaine, j'organise des réunions avec les chefs des grands partis politiques du Tchad. Certains sont ministres dans le gouvernement d'Idriss Déby, d'autres assistent le directeur de cabinet ou le secrétaire général du président. Tous ensemble, nous épluchons les textes légaux qui régissent le processus électoral au Tchad. Ce n'est pas une mission facile, il y a très souvent des clashs entre les leaders de l'opposition démocratique et ceux de la mouvance présidentielle. Je suis au cœur de la lutte de pouvoir que se livrent les deux partis, situation d'autant plus difficile que les groupes rebelles soutenus par le président al-Béchir, du Soudan voisin, tentent régulièrement des incursions sur le territoire tchadien pour renverser le président Déby et ses hommes.

Ce vendredi du mois de novembre 2007 à treize heures, Lao Toumai passe à mon bureau. C'est la journée courte de la semaine, alors que la majorité des Tchadiens musulmans sont en route vers la mosquée et commencent leur week-end. Lao veut absolument que nous rendions visite, sur-le-champ et en secret, au directeur de cabinet du président. Je me suis déjà entretenue avec celui-ci à propos du processus électoral le matin même et j'ai remarqué qu'il commençait à être exaspéré par les relations conflictuelles entre l'opposition et la majorité au sein du Comité de réformes.

— Tu le connais ? Lao, comment l'as-tu rencontré ?

— Ça, c'est un secret. C'est mon frère, nous avons partagé la même initiation ésotérique qui est coutumière pour les adolescents au sein de notre groupe ethnique.

Nous convenons alors d'un rendez-vous le soir, à mon bureau, avant de rejoindre le directeur de cabinet dans sa ferme, loin des regards indiscrets. Celui-ci, bien que chrétien, a plusieurs épouses. Lao ne sachant pas chez quelle épouse il est ce soir, nous passons par deux de ses habitations avant de le trouver.

Lao me présente à la première épouse. Un peu forte physiquement, elle tient un nourrisson dans les bras. Elle échange quelques mots avec Lao dans leur patois.

— Djimrangar vient juste de partir et nous attend dans son autre propriété, là où il a sa deuxième femme, me traduit Lao.

Avant de partir, je suis invitée à prendre le dernier-né de Djimrangar dans mes bras. Comme je suis heureuse ! J'ai toujours adoré les enfants du continent noir. Ils sont calmes et sages, vous regardent avec de grands yeux. Je salue la femme de Djimrangar et nous reprenons la route, lentement car les Africains ont pour habitude de marcher sur la chaussée et il commence à faire nuit. Je pense à la chance que j'ai de rencontrer le plus proche collaborateur du chef de l'État dans un cadre moins formel que nos réunions sur la mise en œuvre du processus électoral.

Quand, enfin, nous arrivons, Djimrangar est dans le patio en compagnie de sa deuxième épouse et de l'un de ses fils. Lao accourt vers lui ; ils se donnent l'accolade un bon moment. Pendant ce temps, j'observe l'immense jardin et les nombreux enfants qui jouent dans la cour. Habillé en tenue décontractée – il porte un marcel – et entouré de tous ces enfants, Djimrangar me paraît très sympathique.

— Djim, je suis venu avec une invitée de marque.

Pendant plusieurs heures, assis sur la banquette du patio, nous parlons. Nous évoquons sa stratégie, ma volonté de mettre en place une élection transparente… Djimrangar rit très souvent, d'un rire franc. Il se fait tard, Djimrangar verse le fond de la bouteille de whisky dans son verre puis, en le portant à sa bouche, il se tourne vers moi :

— Stéphanie, nous apprécions tous votre dévouement à appuyer les réformes en cours, mais croyez-moi, parmi les hommes politiques que vous côtoyez tous les jours dans ce

Comité, il y en a certains qui appellent les chefs rebelles sur leur numéro personnel ! Ça n'a pas de sens ! Il faut qu'ils choisissent leur camp : le dialogue démocratique ou la prise de pouvoir par les armes.

Je suis stupéfaite.

— Je ne comprends, je passe mon temps à les aider du mieux que je le peux. Que se disent-ils ?

— Ils savent qu'ils ne pourront jamais prendre le pouvoir par les élections, alors certains d'entre eux passent des accords avec les rebelles pour faire partie du gouvernement de transition si Déby tombe.

— Ils se partagent les postes ministériels sous un gouvernement tenu par les rebelles ?

— Oui, ma chère.

C'est Lao qui vient clôturer la conversation alors que nous nous dirigeons vers la voiture :

— Mon frère Déby ne tombera pas. C'est un guerrier, il ne se laissera pas faire !

Le choc de la nouvelle doit se lire sur mon visage. Et, alors que Djimrangar nous reconduit vers la voiture, Lao, fataliste, s'écrie en riant :

— Ma chère, c'est ça l'histoire du Tchad : trente ans de guerres et de rébellions, trente ans d'instabilité politique. Les Tchadiens ne savent pas s'entendre ! Si les nordistes et les sudistes ne s'affrontent pas, ce sont les nordistes qui se querellent entre eux. Et si ce n'est pas eux, ce sont les sudistes. En tout cas, Stéphanie, si vous avez le moindre problème, n'hésitez pas à faire appel à moi. Je suis ravi d'avoir fait votre connaissance, me dit Djimrangar en guise de salut.

Je le remercie et démarre la voiture. Il est tard, mais les rues de N'Djamena sont anormalement désertes. À N'Djamena, nous ne sommes pas trop informés des combats qui se déroulent chaque jour à l'est entre les forces loyalistes du gouvernement et les groupes de la rébellion mais, malheureusement, ils existent et sont de plus en plus fréquents. D'ailleurs, les expatriés informés commencent déjà à faire leurs bagages en vue d'une éventuelle évacuation. Certains citoyens tchadiens, eux, se constituent des réserves de vivres tandis qu'à toute heure des pick-up, remplis de militaires lourdement armés, patrouillent dans la ville ou se dirigent vers le front, à l'est. Chaque jour plus nombreuses, les familles de militaires, inquiètes, viennent devant l'hôpital prendre des nouvelles de leurs parents blessés aux combats. Et je ne peux m'empêcher de penser au président qui, comme ces soldats, part régulièrement au front. Chaque fois, j'ai peur de ne plus jamais avoir la chance de le revoir, comme au bon vieux temps, lorsque j'étais son invitée. Je suis convaincue que ce sera envisageable une fois ma mission terminée, mais que, pour le moment, je dois redoubler d'efforts pour garder la plus grande neutralité possible.

À la fin du mois de novembre, je déménage chez les religieuses à Kabalaye, dans le quartier des sudistes. Ma chambre est minuscule, il y a juste un modeste lavabo et je partage des douches extérieures avec les sœurs et certains volontaires de passage à N'Djamena pour des missions de développement.

Je passe désormais toutes mes soirées chez le général Michel Djangbei et son épouse Suzanne. Michel est également pasteur et il organise très régulièrement des messes pour la paix au Tchad. Ce couple et leurs enfants, mes amis depuis quinze ans, ont connu la dictature sous Hissène Habré, puis le régime d'Idriss Déby, et enfin les diverses tentatives de renversement politique, dont la dernière remonte à 2006. Comme tous les Tchadiens, ils ne veulent plus de guerre et prient tous les jours pour la paix.

Le lendemain, les Djangbei et moi avons rendez-vous chez la mère du chef de l'État. Elle habite dans une vieille villa, très simple, à côté de l'aéroport. Dehors, deux marabouts semblent assurer sa protection. À l'intérieur, une des sœurs du président – elle lui ressemble étrangement –, sobre et très belle, est assise sur un tapis en attendant que la maman, souffrante, se lève. Les Djangbei lui expliquent qui je suis : ils me présentent, fièrement, comme leur fille française, et également une amie de longue date du président. C'est un grand honneur pour moi que de me trouver dans cette villa, dans cette famille. J'imagine qu'ils savent tous que je suis la femme que le PR, un jour, a aimée et pour laquelle il a encore un immense respect.

La sœur du président est veuve, elle a perdu son mari au combat. Elle m'apprend qu'une colonne entière de soldats de la garde présidentielle, issus de la famille proche du chef de l'État, vient tout juste de perdre la vie en essayant de repousser l'avancée des rebelles.

— On était plus heureux quand Idriss était un simple soldat, s'exclame-t-elle, le regard triste. Depuis qu'il est entré en politique, tous les hommes de la famille sont tombés au front, nos frères, nos oncles, nos cousins. Dans notre famille, il n'y a que des veuves, des orphelins et des hommes médaillés que nous ne reverrons jamais !

Ces propos m'ont terriblement émue. La famille du président Déby a payé un fort tribut à la quête du pouvoir : la vie de centaines d'hommes partis valeureux au combat et qui ne sont jamais revenus.

Quelques minutes plus tard, les Djangbei me conduisent chez Halime Déby, la première épouse du PR et maman d'une grande majorité de ses enfants. Elle a la petite cinquantaine, un visage magnifique, est un peu ronde et vit dans une extrême sobriété. Le président l'a délaissée en 2005 pour Hinda, la dernière venue, qui s'est autoproclamée première dame, écartant par là même toutes ses rivales et donc sa vie passée.

Halime est en deuil. Elle vient juste de perdre son fils Brahim, assassiné dans des circonstances obscures à Paris. Elle nous offre un déjeuner très copieux, que nous partageons assis sur un tapis de couleur rouge. Elle semble avoir entendu parler de moi et est très contente de ma visite : au fil de la conversation, j'aperçois un sourire, puis un autre, puis encore un autre, se dessiner sur son visage. Au moment de partir, je lui promets de repasser très prochainement.

Nous prenons ainsi l'habitude de nous voir régulièrement, à ma sortie du bureau. Nous papotons beaucoup, de tout et de rien, dans la plus grande discrétion. Comme moi, elle se couche assez tard. Elle déteste Hinda, la soi-disant première dame, qu'elle appelle soit « Arsoum » (porte-poisse), soit « la sorcière ». Petit à petit, je me mets moi aussi à la détester. Je la trouve méchante, avide de gains, de pouvoir et assoiffée de reconnaissance. Elle est très jolie, je comprends que le président ait été attiré par elle, mais comment ce mariage peut-il durer ? Elle semble tellement sophistiquée et extravagante, comparée à son mari. Elle s'est fait nommer secrétaire particulière du président et il paraît qu'elle prend des commissions dans toutes les affaires de l'État ; je ne peux pas la trouver sympathique !

En ces périodes de fin d'année, l'harmattan souffle fort et transporte des tonnes de grains de sable, ce qui rend la respiration difficile. Cette Afrique-là est magique, mais ne ressemble en rien à l'Afrique que je connais, celle du Kenya, de la brousse et de la faune sauvage. Le chef de la délégation de l'Union européenne vient de partir en vacances, comme tous ses collaborateurs. Je suis la seule à être restée à N'Djamena. Les activités tournant au ralenti, je décide de m'absenter quelques jours, non pas en Europe, ni ailleurs sur une plage des Caraïbes, mais au parc national de Zakouma, au sud-est du Tchad, à huit cents kilomètres de N'Djamena.

5

Zakouma

La voiture du projet CURESS de l'Union européenne roule à vive allure sur la route sablonneuse et poussiéreuse. Toutes les trois heures, mon chauffeur Béchir et moi nous arrêtons boire un thé vert dans les villages, faisant l'attraction des locaux. Enfin, vers seize heures, nous atteignons la ville arabe de Am Timan, dans le département du Salamat. Le parc de Zakouma n'est plus qu'à une cinquantaine de kilomètres. La nuit tombe et, sur le chemin qui mène au parc, j'aperçois une première gazelle, puis une autre, puis une famille de phacochères, puis un cob de Buffon, l'antilope africaine. Soudain, le chauffeur stoppe le véhicule, en descend et, s'accroupissant devant un tas d'excréments, s'exclame :

— Ça, c'est frais, ils viennent juste de passer.

Je jette un regard curieux au chauffeur.

— Oui, les éléphants sont là, tout près. Ils sont nombreux, regarde !

Il pointe du doigt le chemin jonché de déjections. Il semble très content de me faire partager son émotion.

— On va les voir, j'en suis sûr ! Ça, c'est un gros troupeau ! Viens, monte dans la voiture, on va les chercher ! La nuit tombe dans une demi-heure, on a un peu de temps.

Très lentement, nous suivons le chemin. Je m'assois au milieu de la banquette arrière, penchée vers Béchir, aux aguets. Ma tête ne cesse de tourner de droite et de gauche à

la recherche des pachydermes quand, enfin, nous les apercevons, juste devant nous, en train d'arracher tranquillement
les feuilles des arbres de la piste. Ils sont peut-être une
vingtaine, paisibles, et ne font pas attention au véhicule. Il
me semble entrevoir un bébé éléphant entre les jambes d'une
grosse femelle.

— Regarde le petit ! Comme il est mignon !

Je fouille dans mon sac à la recherche de mon appareil
photo et m'apprête à sortir de la voiture.

— Ne descends pas ! Ils peuvent charger, ça peut être
dangereux. La maman risque de prendre peur. Ils sont même
capables de renverser le véhicule.

J'entrouvre alors la fenêtre. Je les observe, émerveillée,
sans même prendre une photo. Il fait de plus en plus obscur.
Désormais, on ne distingue plus que leurs ombres éclairées
par un début de pleine lune. Le chauffeur redémarre la
voiture.

— Tu les reverras demain, *inchallah* !

Je ferme les yeux, étourdie par la fatigue du voyage et la
grande émotion que je viens de vivre. La voiture avance
assez lentement pour ne pas heurter un quelconque animal
qui serait ébloui par nos phares.

— Dis-moi, Béchir, le peuple tchadien aime autant les
éléphants que toi ?

Béchir éclate de rire.

— Non, madame, on ne les aime pas vraiment. Dans le
Salamat, ils détruisent toutes nos récoltes et, parfois, ils tuent
même les paysans quand on leur tient tête. Ah non, les éléphants, ça, c'est problème… Mais, vous, les Blancs, vous êtes
tous pareils, vous aimez les éléphants ! Pourquoi vous ne les
prenez pas chez vous, en France, si vous les aimez tant ?

Je ris à mon tour.

— Mais, Béchir, ces éléphants, c'est l'histoire du Tchad,
la culture de ton pays. Il y en a toujours eu au Tchad.

— Toi, la *nassara*, tu nourris tes enfants avec de la
culture ? Nous, on leur donne le blé et le mil et ce sont les
éléphants qui gâtent les récoltes tous les jours.

Au campement de Tinga, situé dans le parc de Zakouma, nous sommes accueillis par deux locaux employés du projet CURESS dans une hutte confortable. Épuisée, je m'endors dès vingt et une heures, juste après avoir avalé une soupe légère, bercée par les bruits de la brousse.

Le lendemain, à cinq heures du matin, Jacquot, un des guides du parc, m'accompagne dans la brousse à la recherche des éléphants. Bien qu'il soit fort âgé, dès que nous commençons à marcher, je comprends qu'il est endurant et expérimenté. Et en effet, moins d'une demi-heure plus tard, il a retrouvé la trace des éléphants. Nous les observons, cachés dans les buissons, à une vingtaine de mètres d'eux.

— Viens, suis-moi, le vent tourne, ils vont nous repérer et ils vont s'enfuir.

Nous parcourons quelques mètres afin de nous dissimuler derrière un autre buisson. Soudain, je le vois qui dégaine sa kalachnikov.

— Pourquoi tu prépares ton arme, Jacquot ?

Il a l'air inquiet. Effectivement, ils sont nombreux et leur présence à quelques mètres de nous seulement n'est pas très rassurante, mais ce n'est pas une raison pour user d'une arme contre eux, d'autant plus que nous les dérangeons sur leur territoire.

— Que se passe-t-il, Jacquot ?

— Le vent a tourné, je ne veux pas qu'ils nous chargent. S'ils le font, je tirerai en l'air et ils partiront. Il y en a un qui nous a repérés déjà, regarde, celui qui bouge les oreilles. Il sent qu'il y a un éventuel danger, il peut charger à tout moment.

— Pourquoi nous chargeraient-ils ? Je n'ai jamais eu le moindre problème au Kenya et je suis allée les voir très souvent. Ils sont très gentils généralement, et même sociables. Pourquoi les éléphants du Tchad sont si agressifs ?

— Avant, ils étaient calmes et sereins. Mais, ça, c'était avant.

Craignant qu'il ne m'annonce une horreur que je ne pourrai supporter, je l'invite timidement à poursuivre :

— Et depuis, Jacquot, qu'est-ce qui a changé ? Que se passe-t-il ?

— Je ne devrais pas en parler, on ne veut pas perdre les touristes qui viennent à Zakouma. Les hommes armés sont là. Ils pénètrent la nuit dans le parc avec leurs chevaux et leurs chameaux, posent leur bivouac, repèrent les troupeaux, tirent dessus et leur arrachent les dents. Dernièrement, ils ont abattu une vieille matriarche que nous connaissions tous ici, car elle venait nous saluer chaque matin.

Des larmes me montent aux yeux.

— C'est parce qu'ils sont attaqués que les éléphants ont désormais peur des hommes et qu'ils nous chargent, ajoute Jacquot.

— Je les comprends, ils sont traumatisés ! Les éléphants ont une mémoire très développée. Mais vous, les gardes du parc, vous êtes armés, vous ne pouvez pas faire fuir les hommes armés ?

Jacquot hausse les épaules.

— Nous, on a de simples kalach ; eux, ils ont des armes de guerre. Non seulement ils tuent les éléphants du parc, mais aussi les gardes !

— Ah bon ?

— Plus personne ne veut venir travailler ici, c'est trop dangereux ! Tout le monde n'est pas comme Jacquot qui accepte de perdre sa vie pour des éléphants. Après tout, ce sont quand même des créatures de Dieu.

— Et les autorités, elles ne peuvent rien faire ? Qui peut vous aider ? Avez-vous suffisamment d'armes ? Peut-être qu'il faut apporter du renfort aux gardes, des soldats qui patrouillent ou je ne sais quoi !

Jacquot met du temps avant de répondre :

— Ces soldats armés que vous, les Blancs, vous appelez des braconniers, on ne connaît rien d'eux. Ils arrivent et repartent tout le temps ! Il y en a qui disent qu'ils vont au

Soudan, d'autres en Centrafrique et qu'ils se déplacent tout le temps.

Mon visage devient livide.

— Combien d'éléphants ont été tués ici ces dernières années ?

Jacquot baisse la tête, puis la redresse en fixant ses yeux intenses sur moi, l'air navré :

— Beaucoup, madame, beaucoup.

Je ne peux m'empêcher de lui prendre la main, émue par ses propos.

— Merci, Jacquot, merci pour tout ce que vous faites !

Après une semaine à me lever à l'aube pour accompagner Jacquot voir les éléphants, je dois reprendre la route pour N'Djamena. Alors que nous quittons le parc, un petit groupe de pachydermes marche lentement sur le chemin. Je m'arrête pour prendre des photos et l'un d'entre eux commence à jouer avec sa trompe et à s'asperger de poussière.

— Il joue, il est content ! Vous pouvez descendre de la voiture, doucement. C'est très rare de les voir comme cela, on dirait que votre sang marche avec celui des éléphants, me dit le chauffeur.

Je me tiens à quelques mètres de l'éléphant, qui continue à jouer. Je suis émerveillée : c'est comme s'il m'offrait un spectacle pour fêter ma présence, mon départ.

Le retour me paraît interminable, je ne cesse de penser à ces pachydermes que j'abandonne alors qu'ils sont en danger de mort. J'ai toujours cru aux signes divins qui guident le destin. Celui-là en était un.

6

Jours de guerre

À N'Djamena, le climat est pesant. Chaque jour, des soldats tchadiens partent au front et on ne les revoit jamais. Les gens font état de défections au sein de l'armée du président.

Manifestement, les réformes de la loi électorale ne sont plus d'actualité. Je garde néanmoins le cap et fais mon maximum afin que les textes de ce qui va devenir la nouvelle loi électorale soient enfin adoptés par le Comité. Fin janvier, le texte est enfin prêt ! Plutôt fière de moi, je suis persuadée que, grâce à la mise en place d'élections transparentes propres à satisfaire toutes les revendications, la guerre va s'arrêter. C'était compter sans l'inquiétude des expatriés, qui ferment leur maison et repartent en Europe, et des militaires, de plus en plus nombreux à sillonner la ville.

Quelques jours avant le début du mois de février, alors que je suis seule au bureau en train de contempler les photos des éléphants de Zakouma, celui qui allait devenir le secrétaire général de l'association SOS Éléphants du Tchad passe me voir. Il s'appelle Raphaël Djimadibaye et est un peu plus âgé que moi. Je l'ai recruté en me fiant à son CV, d'une part pour éviter les pressions des uns et des autres pour m'imposer quelqu'un, et d'autre part parce que je sais qu'il a milité dans des organisations de protection de l'environnement. Je trouve ça bien d'accorder de l'intérêt à la cause environnementale dans un pays frappé de plein fouet par l'avancée du désert et la coupe du bois.

— Ces pachydermes, vous les admirez comme moi, me dit Raphaël en fixant l'écran de mon ordinateur.

Je souris.

— Oui, ils sont très beaux. Mais très menacés, malheureusement.

— Moi, je suis pauvre, personne ne m'écoute, mais vous, vous pourriez faire quelque chose.

— J'adorerais ! Mais je suis une femme, blanche de surcroît. Comment ça va être perçu dans un pays pareil ?

— Les gens vous écouteront. En plus, tout le monde sait que le PR vous aime bien, personne n'osera vous refuser la licence pour créer une association, ils auront trop peur ! On doit les sauver ! Dès que je vous ai vue, la première fois, et ensuite quand vous êtes revenue de Zakouma avec toutes ces photos d'éléphants, j'ai su que vous pouviez aider le Tchad. Il ne faut pas qu'on perde les éléphants ! C'est la culture de nos ancêtres !

Je me tourne vers Raphaël, de plus en plus enthousiasmée par notre conversation, et sur un ton rapide, je l'interroge :

— Combien en reste-t-il au Tchad ? Où sont-ils ? Il paraît qu'on ne les trouve qu'à Zakouma, c'est vrai ?

— À Zakouma, ils sont menacés, mais il y a l'argent de l'Union européenne et de l'État tchadien pour les protéger. Ailleurs, c'est une hécatombe.

— Il semblerait pourtant que ce soit aussi une hécatombe à Zakouma.

— Les gens disent qu'il y a des complices à l'intérieur du parc, même à l'extérieur d'ailleurs, au niveau de l'Administration du pays. Ils font du business. En tout cas, moi, je sais où se trouvent les autres troupeaux d'éléphants du pays ! À mon avis, ils sont encore plus de deux mille.

Raphaël m'a convaincue. Il restera à mes côtés après la réforme du processus électoral et nous nous occuperons des éléphants. C'est désormais une certitude : je dois monter une organisation. Depuis mon retour du parc, je n'ai cessé de penser à ces éléphants menacés de mort à cause des braconniers. C'est peut-être la raison pour laquelle le destin m'a ramenée au Tchad ? Pour eux !

Les sautes d'humeur du chef de la délégation de l'Union européenne sont de plus en plus insupportables, mais je n'y fais plus guère attention. J'ai lu pas mal de livres sur la gestion des personnalités difficiles et il me paraît entrer dans la catégorie des pervers narcissiques. Je l'ignore et fais mon travail. De toute façon, dès que ma mission prendra fin, je partirai me battre pour les pachydermes !

Les colonnes de rebelles soutenues par Khartoum se dirigent vers N'Djamena et les forces du président Déby n'arrivent pas à les stopper. Idriss Déby lui-même est parti au front, sans succès. Les rebelles ont désormais franchi Massaguet, à une centaine de kilomètres de N'Djamena ; plus rien ne semble pouvoir contenir leur avancée. Tout le monde a compris la situation et un début de panique s'installe. Les habitants de N'Djamena courent dans tous les sens pour faire des provisions avant de fuir vers le Cameroun voisin ; la plupart des expatriés sont partis hier par le dernier vol Air France. Au bureau, Raphaël et Roger, le planton, me guettent, visages fermés.

— Qu'allez-vous faire, madame ? me demandent-ils après avoir délicatement frappé à la porte.

— Rien de plus, attendre que cela passe !

Je ne crois pas à l'hypothèse d'un renversement de régime, mais j'ai l'intuition qu'il vaut mieux mettre à l'abri mes archives et mes brouillons de travail.

— Ça va être très dangereux, madame, il faut vous cacher ! Les gens disent que demain, les rebelles seront à la porte de N'Djamena. Il va y avoir des combats violents, de chars, de grenades… des morts.

— OK, aidez-moi à embarquer les documents importants dans le coffre de ma voiture, il faut les mettre à l'abri. Et ne vous inquiétez pas pour ma sécurité, je travaille pour la Commission européenne, ils me contacteront s'ils évacuent.

— Visiblement, ils ne l'ont pas fait ; le chef de la délégation et ses collaborateurs sont déjà tous partis.

Le chef de la délégation a eu sa revanche : il savait où me trouver et a délibérément omis de me prévenir.

— Bon, lui, c'est un chef blanc ; moi, je suis une consultante qui aime l'Afrique, on est ensemble ! J'irai me réfugier au Novotel, il y a de l'eau et des vivres.

Cinq minutes plus tard, nous quittons tous le bureau et, en lui disant au revoir, je lance à Raphaël :

— Raphaël, fais bien attention à toi ! N'oublie pas que, dès que ma mission se termine, c'est-à-dire dans quelques semaines, on a du travail avec les éléphants.

— On va s'en sortir, ce n'est pas la première fois !

Je pars du bureau avec, dans le coffre de ma voiture de location, les archives et documents originaux des réformes sur le processus électoral au Tchad. Je suis fière d'avoir embarqué mon trésor ! Je m'arrête une première fois dans le quartier de Moursal, chez les sœurs de Kabalaye, pour entasser très rapidement quelques effets dans une petite valise. Certaines des sœurs sont reparties hier au Canada et celles qui restent sont en train de prier, chapelet au cou, Bible à la main. Le bâtiment religieux n'étant absolument pas sécurisé, je leur propose de m'accompagner au Novotel.

— Dieu est avec nous, nous allons prier.

Quel courage ! Je suis triste de les laisser là. Sur la route du Novotel, je bifurque pour rendre visite à Halime Déby. Il n'y a plus qu'un garde devant sa villa, la sentinelle est partie. Halime est seule dans son immense salon avec une vieille dame de compagnie. Tout en m'embrassant, elle me demande, sur un ton las et doux à la fois :

— Ma chérie, tu vas bien ?

Rien qu'au son de sa voix et à sentir sa sollicitude, j'ai envie de la prendre dans mes bras. Je la regarde droit dans les yeux :

— Halime, tu ne vas tout de même pas rester dans cette villa ? Elle est juste en face de la présidence ; il va y avoir

des attaques des rebelles sur le palais, c'est très dangereux !
Viens avec moi.

— Ma chérie, je suis femme de militaire. Si je dois
mourir, ce sera comme une femme de militaire, me répond-
elle, sereine, en esquissant un sourire.

Halime ne bougera pas, il ne sert à rien d'insister. Je dois
partir au plus vite à présent, les chars sont en position en
prévision d'un affrontement avec les rebelles, et je ne suis
même plus sûre d'atteindre le Novotel. Alors que je m'en
vais, Halime me prend dans ses bras. J'ai les larmes aux
yeux, j'ignore si je la reverrai un jour. La seule chose dont
je suis sûre, c'est que j'aime cette femme. Jamais je n'ou-
blierai son courage. Malgré toutes les épreuves qu'elle a
traversées, elle a su conserver sa dignité.

Dans les rues de N'Djamena, il n'y a plus âme qui vive,
que des chars. Les militaires français, dans le cadre du plan
Épervier, ont pris d'assaut le Novotel, devenu le centre de
regroupement des expatriés. Je m'installe dans une chambre
du premier étage. Vers dix-sept heures, mon téléphone portable sonne. C'est Said, le directeur du protocole du chef de
l'État, qui me propose d'aller dîner avec Daoud, le gendre
du chef de l'État, et lui, juste à côté. J'accepte et il vient me
chercher quelques minutes plus tard. Dans la voiture, je
l'interroge :

— Said, dis-moi la vérité, que va-t-il se passer ?

— Rien ! Ne t'inquiète pas, ça va être comme d'habitude.
On est habitués, nous, avec ton « mari » !

Said me fait rire, il insiste :

— Oui, vous êtes bien compliqués tous les deux mais,
ici, tout le monde sait que tu es l'amie du boss. On ne peut
pas te draguer !

Je pouffe de rire.

— Dis-moi, Said, si j'étais son épouse, je ne serais pas
obligée de me farcir tous les jours la tête du chef de la
délégation de l'Union européenne, si ?

— Je crois surtout que tu l'aurais déjà fait vider !

Nous éclatons de rire tous les deux. Said connaît les déboires que je rencontre avec ma hiérarchie. Nous dînons rapidement. Daoud a l'air angoissé. Il ne mange presque rien. Toutes les deux minutes, le talkie-walkie de Said crépite. C'est le palais. Quelques minutes plus tard, Said me ramène au Novotel.

— Allez, à demain ! Ne t'inquiète pas, tout ira bien !

J'ai à peine le temps de monter dans ma chambre que je reçois un message sur mon téléphone portable d'un des aides de camp du chef de l'État : « C'est le destin qui a voulu que les Tchadiens s'entre-tuent. J'en ai marre de me battre avec mes frères, je n'aime pas la guerre. Mais si la situation l'oblige, je n'ai pas peur ! »

Ma réponse fuse : « Que va-t-il se passer ? On va tous mourir ? »

Il me rassure aussitôt : « Stéphanie, n'aie pas peur, cela me fait mal au cœur si tu as peur dans mon pays. Bonne nuit, ma princesse, que Dieu te protège, nous protège ! Je n'ai jamais rencontré une femme comme toi dans ma vie ! »

Puis, tout à coup, plus de réseau ! La présidence a donné l'ordre de le couper afin que les rebelles ne puissent pas communiquer.

Deux jours plus tard, les bruits d'explosion des grenades et de tirs des chars et des armes lourdes se rapprochent. Les militaires français, surarmés, font la sentinelle devant les portes de l'hôtel. Les chars français entrent régulièrement dans la cour pour ramener les expatriés coincés dans les bombardements. Nombreux sont les diplomates des missions étrangères ainsi secourus par les troupes françaises puis envoyés à la base militaire d'où on les envoie par les airs vers le Gabon.

La ligne téléphonique de ma chambre fonctionne encore et, très inquiète, ma maman ne cesse de m'appeler. Elle ne comprend pas pourquoi je ne suis pas partie en même temps que les autres expatriés. Elle et mon père peuvent rester pendant des heures figés devant la télévision à observer le

spectacle désolant des rues de N'Djamena en feu. Je tente
de la rassurer comme je peux :

– Non, Maman, il n'y a rien de si grave, tu connais les
journalistes, ils exagèrent toujours.

Vers midi, des détonations spectaculaires font vibrer
l'hôtel. Toutes les demi-heures, je quitte ma chambre pour
venir aux nouvelles auprès des journalistes de RFI ou des
deux jeunes Tchadiens qui parcourent la ville à moto afin
de nous tenir informés de l'état des combats.

L'émissaire du ministère des Affaires étrangères en charge
de l'identification et de l'exfiltration des expatriés me
demande si je veux partir au Gabon par le dernier Transvaal.
Je décline son offre. Il y a trop de gens que j'aime ici. Je
pense à Raphaël, à sa famille, aux Djangbei, au président
Déby, etc. Et puis, je ne puis me résigner à abdiquer : j'ai
fourni tellement d'efforts pour mettre en place ce nouveau
processus électoral, les archives sont encore dans ma voiture.
Je ne peux pas non plus abandonner les éléphants à leur sort.
Je suis persuadée que, si je quitte le pays, le chef de la délégation de l'Union européenne ne me laissera jamais revenir.

Le 3 février au matin, les combats redoublent d'intensité.
Je n'ai pratiquement pas dormi de la nuit tellement l'hôtel
tremblait sous les secousses des explosions. Quand j'aperçois,
à quelques centaines de mètres de là, l'immense nuage de
fumée noire qui s'échappe de la présidence, mon regard se
fige. Ce n'est plus de l'inquiétude désormais, j'ai la certitude
que tout est fini. Des larmes coulent sur mon visage et je
pense au dernier message que j'ai reçu de l'homme du palais :
« Surtout, n'aie pas peur ! » C'est donc ça la guerre, un
chemin absurde qui vous ravit les gens qui vous sont chers !

Je descends dans le hall de l'hôtel. Le jeune Tchadien
employé de la compagnie de télécommunication Sotel,
complètement inconscient, continue ses escapades en ville
pour nous tenir au courant des derniers événements et approvisionner les journalistes en cigarettes. Je m'approche de lui,
livide :

— Que se passe-t-il en ville, Djalal ?

— Il y a des cadavres partout !

Cette information me met en colère.

— Mais bon sang, que font les Tchadiens sur les routes alors qu'il leur a été expressément demandé de se cacher en attendant la fin des combats ? On l'a entendu partout à la radio !

— La vérité ? Ceux qui ont été tués, pour la plupart, sont des pillards. Ils ont voulu pénétrer dans les villas privées et les bâtiments publics et se sont fait tuer. *Walai*, je te jure, à côté de tous les cadavres, il y a des postes de télé et des appareils électroménagers !

— C'est consternant !

— *Walai*, mes frères tchadiens ne sont pas sérieux !

— Dis-moi, que se passe-t-il encore à N'Djamena ? Ont-ils pris le palais ?

— On dirait, mais je n'en suis pas sûr. Les chars tirent dans tous les sens, la situation est très confuse. On n'arrive même pas à reconnaître les rebelles des autres mouvements venus en renfort pour aider Déby, les Torotoros, les rebelles au président soudanais. C'est la merde totale, ma chère. Ah ! en revanche, ton bureau a été pillé. J'ai vu des hommes se faire tuer en sortant de la Commission électorale avec des ordis sur la tête.

— Merci pour ces infos, Djalal. Fais attention à toi !

Il sort de l'hôtel en criant « Y a pas de soucis » et le militaire Épervier me repousse gentiment à l'intérieur du bâtiment. J'ai juste le temps d'apercevoir ma voiture, sagement garée, avec toutes les archives du processus électoral à l'intérieur. Ça, au moins, les rebelles ne pourront pas le détruire ! Je m'imagine déjà leur imposer le retour à l'État de droit en sortant les précieux documents validés par toute la classe politique du Tchad.

Vers quatorze heures, j'appelle l'attaché d'ambassade en charge de la gouvernance.

— François, où en est-on ?

— Les nouvelles sont mauvaises. Il semblerait que le palais soit tombé. Je crois que c'est la fin, Stéphanie.

À cet instant, les commandos qui sécurisent l'hôtel nous ordonnent d'évacuer les chambres. De très violents échanges de tirs ont lieu dans la rue du Novotel et ils craignent qu'une aile de l'hôtel ne s'effondre. Je rejoins le petit groupe assis sur le sol de la cour intérieure de l'hôtel. Sur les visages se lisent l'épuisement et la détresse. Moi-même, je suis bouleversée, mais je garde espoir. Quelque chose me dit que les choses vont rentrer dans l'ordre.

Dans la cour, je me dispute plus ou moins avec une journaliste de RFI. Elle ne comprend pas pourquoi je suis farouchement hostile aux groupes rebelles alors qu'elle leur est plutôt favorable. Je tente de lui expliquer :

— Ma chère, ces groupes rebelles n'ont aucune légitimité, ils représentent moins de un pour cent de la population. S'ils veulent prendre le pouvoir, qu'ils s'organisent en parti politique et viennent négocier les amendements au Code électoral !

La journée du 3 février est confuse. Alors que j'ai décidé de réintégrer ma chambre pour me reposer, j'évite de m'allonger sur le lit, car une balle vient de briser la vitre de ma chambre. J'ai déplacé mon matelas près de la porte, à l'entrée de la salle de bains, et j'observe le fleuve Chari qui jouxte le Novotel. Si les rebelles tentent de pénétrer dans le bâtiment, je foncerai vers le fleuve, le traverserai et rejoindrai la rive en face, le Cameroun. C'est mon plan d'évacuation à moi. De la sorte, je sais que je m'en sortirai, mais je ne peux me résoudre à fuir avant d'être sûre qu'Idriss Déby est tombé. Je pense aussi à Halime, à Raphaël et à sa famille, à mes autres employés, aux sœurs de Kabalaye, etc.

La guerre est également une affaire de logistique. Le 4 février, la rumeur dit que les rebelles attendent des munitions pour pouvoir continuer. Ils sont en difficulté. Et, en effet, par la fenêtre, j'aperçois des rebelles plonger dans le fleuve pour rejoindre le Cameroun voisin. Les tirs de chars se sont arrêtés et ont été remplacés par des tirs sporadiques d'armes légères.

Je reprends espoir ! N'Djamena n'est pas tombée. En fin de matinée, les tirs cessent enfin et je décide de sortir faire un tour en voiture. Par sécurité, j'accroche un petit drapeau Air France sur la vitre latérale. Les soldats reconnaissent ma voiture et me laissent passer. Il y a des chars partout dans la ville, certains d'entre eux calcinés. C'est bon, la ville est toujours aux mains du président Déby. Mais de très nombreux cadavres jonchent les rues.

Au bureau, je trouve un cadavre dans la cour, bouche ouverte, déjà en partie mangé par les insectes, et deux autres un peu plus loin. Je comprends que ces hommes sans vie sont les pillards qui ont tenté d'emporter les ordinateurs de la salle de travail qui se sont fait surprendre par les combats. Je décide dare-dare de quitter les lieux, car l'odeur de putré-faction des corps qui se dégage de ce bâtiment est à peine tenable !

Je m'empresse ensuite de rendre visite à Raphaël et à sa famille. Avec d'autres sudistes, ils se sont rassemblés dans un bar, chez la femme d'un député. Quand j'arrive, ils me sautent dessus pour m'embrasser. Raphaël sourit. Je suis sereine, désormais.

— Comment ça a été pour vous ?

Ils me montrent du doigt le mur percé de balles. Le député s'adresse à moi, une bière à la main :

— Eh bien, ma foi, on a vécu comme d'habitude ! Nous, les sudistes, on nous traite de soûlards, mais on a tenu. On n'a pas fui comme les autres. On est restés entre nous, comme au village, on s'est assis sur un tamis avec nos bières et nos enfants et on a attendu que ça passe.

Nous avons tous éclaté de rire. Ils n'avaient plus rien à manger, j'ai donc cherché des boutiques ouvertes et leur ai rapporté des stocks de spaghettis et de sauce tomate. Les

boutiques viennent de rouvrir et sont exagérément chères :
je paie un paquet de spaghettis plus de vingt dollars.

Je fais la remarque au commerçant :

— Vous exagérez tout de même !

— C'est la pénurie, madame ! Il n'y a plus de vivres !

7

« Votre pays, c'est le Tchad ! »

Je réintègre les bâtiments de la Commission électorale. Les cadavres ont été enlevés, mais il règne toujours un énorme désordre : les moquettes ont été arrachées, les ordinateurs volés, les tables embarquées. Le président du Comité que je coordonne, membre de l'opposition, a été arrêté pendant la rébellion, ainsi que quelques-uns de ses camarades chefs de partis politiques. Je sors les archives du processus électoral de mon coffre de voiture et les range dans l'armoire de mon bureau qui, par chance, n'a pas été détruite.

Je n'ai aucune nouvelle du chef de la délégation de l'Union européenne. Au bout d'une semaine, tout de même, son assistant, la voix mielleuse et semble-t-il gêné, m'appelle d'Europe :

— Je suis désolé, on n'a pas pu te prévenir quand on a évacué.

— Pourtant, vous aviez, toi et le chef de la délégation, mes coordonnées. Je croyais que vous deviez me prévenir !

— Tu comprends, avec la guerre, tout devient plus compliqué... Et puis les consultants ont un statut différent, même s'ils travaillent pour nous...

Je lui réponds sur le même ton hypocrite :

— Bien sûr, je sais que ça a été dur pour nous tous !

La délégation n'a aucune explication plausible à me fournir. Je crois qu'ils sont inquiets que la Commission européenne à Bruxelles fasse une enquête sur leurs agissements.

Ils ont de la chance qu'il ne me soit rien arrivé. Le chef de la délégation de l'Union européenne reparaît une dizaine de jours plus tard et il me convoque dans son bureau, un peu agité :

— Stéphanie Vergniault, nous avons besoin de vous ! Le président français et sa délégation vont nous rendre visite. Vous allez organiser une rencontre, au bureau de la Commission électorale, avec les chefs des partis politiques du Tchad. C'est une opération commando, hautement stratégique, nous n'avons pas une minute à perdre !

Nicolas Sarkozy arrive à N'Djamena dans moins de cinq jours avec Bernard Kouchner, Abou Diouf, président de l'Organisation internationale de la francophonie, et plusieurs commissaires européens, dont Louis Michel.

Le climat est encore très tendu au Tchad. Certains hommes politiques de l'opposition ont été arrêtés pendant la rébellion et les spéculations vont bon train sur leur possible libération. Mes employés locaux, traumatisés par la guerre, ne veulent pas réintégrer leur bureau. Ils pensent tous que certains éléments des forces rebelles se cachent dans la ville, d'autant plus que le bâtiment dans lequel nous travaillons appartient à un des chefs rebelles et a été confisqué par le pouvoir en place. Raphaël est le premier à revenir spontanément au bureau.

— Je ne peux pas vous laisser toute seule, madame ! s'exclame-t-il.

Cela me soulage, car nous n'avons que quelques heures pour remettre en ordre la salle de réunion avant l'arrivée du chef de l'État français et les bureaux sont en piteux état. Je dois également m'assurer de la présence des membres du Comité de réformes. Un à un, je vais chercher mes employés chez eux en voiture pour les convaincre de reprendre le travail.

En plus, le président de la République Idriss Déby vient d'instaurer un couvre-feu : après dix-huit heures, nous n'avons plus le droit de circuler dans les rues de N'Djamena. Compte tenu de tout ce qui me reste à faire, il m'est impossible de le respecter. Heureusement, les militaires, qui connaissent ma voiture, me laissent systématiquement passer.

Le jour de l'arrivée du président Sarkozy, plusieurs militaires français, habillés en civil, frappent à la porte de mon bureau. Ils font partie du GIGN et viennent vérifier la sécurité du bâtiment. Une heure plus tard, c'est le directeur du protocole du président Déby qui se présente pour me proposer son aide, que je refuse poliment.

Je briefe une dernière fois Raphaël et mon équipe. Tout est fin prêt, le plan de table arrêté, la sécurité organisée, les hôtesses préparées. Les collaborateurs de Nicolas Sarkozy, à la dernière minute, veulent modifier mon plan de table afin que les photos qui « sortiraient dans la presse aient plus d'impact sur le public ». Fermement, je tente de leur expliquer qu'il y a des usages protocolaires bien ancrés dans la culture tchadienne et qu'il serait très maladroit d'y déroger, même pour les besoins de la presse française ! Mais ils ne comprennent visiblement pas ces subtilités. En Afrique, à table, les chefs doivent être assis à côté des chefs, le président de la République française ne peut se trouver à côté d'un individu qui, dans la société africaine, a un statut inférieur. Cette querelle sur le plan de table a absorbé mon attention et mon énergie pendant plus d'une demi-heure, mais je n'ai pas cédé.

Vers seize heures, les invités tchadiens commencent à arriver et vers 16 h 45, la salle est presque pleine. Ensuite, les choses s'accélèrent. La nuit tombe, la pénombre nous envahit peu à peu, la délégation ne va pas tarder, quand, soudain, une coupure d'électricité nous plonge dans l'obscurité. Les coupures sont très fréquentes au Tchad.

J'entends alors le collaborateur du chef de la délégation de l'Union européenne crier :

— Le groupe, le groupe, branchez le groupe électrogène !

Je pars à la recherche de Raphaël à l'extérieur du bureau, dans la cour, et je le trouve là, figé, muet. Je le connais suffisamment désormais pour savoir qu'il y a un problème.

— Raphaël, que se passe-t-il ? Allume le groupe, nos invités sont dans le noir !

— J'ai oublié de remplir le réservoir !

Je suis estomaquée.

— Quoi ?

Il me regarde, l'air penaud :

— Dans la précipitation, j'ai oublié de mettre de l'essence dans le réservoir. Le groupe ne démarrera pas.

À ce moment, j'entends des sirènes. La voiture de Nicolas Sarkozy vient de pénétrer dans la cour de mon bureau, suivie de celles d'Abou Diouf, de Bernard Kouchner et d'autres officiels. Arrive alors devant moi Dougous, un des jeunes hommes proches du chef de l'État Idriss Déby, que je soupçonne de m'épier depuis quelques semaines. Il éclaire mon visage avec sa torche de téléphone.

— La femme cachée du président de la République du Tchad a une équipe qui oublie de mettre du fuel dans le réservoir du groupe électrogène le jour de la visite du président français ! s'exclame-t-il en riant aux éclats.

La situation est tellement tendue que je ne sais plus moi-même si je dois rire ou pleurer.

— Une erreur pareille, on va me mettre au cachot, se désole Raphaël.

Il me fait de la peine. Dougous est déjà en train d'appeler le palais présidentiel. Je comprends quelques mots :

— *Mafi electricite.* (Il n'y a pas d'électricité.)

Par chance, juste au moment où le président Sarkozy descend de voiture, l'électricité revient. Je suis la première à serrer la main du président.

— Soyez le bienvenu, monsieur le président de la République.

Il me salue rapidement et, suivi de son cortège, s'engouffre dans la salle de réunion. Aux dires de tous, la réunion s'est très bien passée.

« *Votre pays, c'est le Tchad !* »

Le Tchad peu à peu s'apaise et les gens oublient les séquelles de la rébellion. La vie reprend son cours normal. Ma mission auprès de l'Union européenne s'achève. La veille de mon départ, le conseiller de l'ambassade de France aux affaires politiques vient me remercier dans mon bureau.

— Merci, merci pour tout ce que vous avez fait ici, au Tchad, au sein de ce Comité. Vous avez effectué un excellent travail. Au nom de la France, je vous remercie.

Le chef de la délégation de l'Union européenne, lui, ne me remerciera jamais, il se contente de m'envoyer un courriel où il est écrit : « Bon vent ! »

Alors que je suis en route vers l'aéroport avec le général Djangbei et son épouse, le directeur du protocole d'État m'appelle :

— Il faut revenir. Votre pays, c'est le Tchad !

Ces propos me font monter les larmes aux yeux. Je pense même demander un court instant à rebrousser chemin. Tout est confus : je rentre en France, mais mon cœur est ici, sur cette terre brûlée par la chaleur, et parfois par les conflits.

Raphaël aussi se tient sur le perron de l'aéroport. Tandis que je le salue chaleureusement, il me dit :

— Revenez, je vous attends ! On va faire quelque chose pour les éléphants ! Toute ma vie j'ai attendu quelqu'un comme vous pour les sauver.

— Dans quatre mois, je suis de retour ! Quatre mois maximum !

Quelques jours plus tard, l'ONU me fait partir en mission en Sierra Leone pour les élections et ce n'est qu'après un mois de repos en Grèce que je suis revenue au Tchad en octobre 2008, enfin libre pour m'occuper des éléphants.

8

Naissance de SOS Éléphants du Tchad

À mon retour au Tchad, Gérard, un des responsables missionnés par la Commission européenne pour la gestion du parc de Zakouma, propose gentiment de m'héberger dans sa maison avec piscine au cœur de N'Djamena. Dès mon arrivée, Raphaël m'informe qu'il a organisé une rencontre avec quelques personnes décidées à intégrer le bureau de SOS Éléphants. J'apprends ce jour-là que le directeur des parcs, Daboulaye, qui coiffe toute la direction de la faune sauvage du pays, est aussi l'oncle de Raphaël et qu'il accepte de parrainer SOS Éléphants du Tchad. Nous procédons à un vote pour savoir qui présidera l'organisation. Un rapporteur, désigné par Daboulaye, lit à voix haute les résultats du vote :

— Stéphanie Vergniault, élue avec cent pour cent des voix, présidente, Raphaël Djimadibaye, secrétaire général...

Pour avoir le statut d'ONG, il nous faut maintenant obtenir l'autorisation du ministre de l'Intérieur. Un ami commissaire de police, Hamdane, proche du chef de l'État, me promet d'accélérer l'enregistrement du dossier.

En attendant, grâce à Raphaël et à certains de nos membres, je commence à tisser un réseau d'informateurs dans tout le pays. La situation est catastrophique : dans la plus grande indifférence, des carcasses d'éléphants gisent un peu partout.

Aux environs de Noël, j'apprends qu'au sud du pays, dans un village du nom de Démo, plusieurs dizaines d'éléphants viennent d'être abattus. J'y envoie Raphaël. De mon côté, je pars procéder à une enquête de terrain à Zakouma. Gérard, toujours aussi généreux, s'arrange pour me faire véhiculer par une des voitures du projet de l'Union européenne qui fait régulièrement la navette entre N'Djamena et le parc. J'arrive à Zakouma à 17 h 30 et suis immédiatement conduite dans mon *boukarou*. En chemin, j'aperçois un homme blanc, la petite cinquantaine, qui semble vérifier le bon fonctionnement de sa kalachnikov. Il ressemble étrangement au baroudeur de la pub des cigarettes Marlboro. J'ai envie d'en savoir plus sur ce mystérieux étranger et, pour attirer son attention, je passe ostensiblement devant lui, mais il ne lève pas les yeux, concentré sur son arme.

Plus tard, au bar du camp, le personnel de Tinga me donne de plus amples renseignements. Cet homme est un colonel français semi-retraité. Il a monté une organisation, Africalab (lutte antibraconnage) et, flanqué de sa kalachnikov, il parcourt l'Afrique pour enseigner la lutte antibraconnage aux gardes des parcs nationaux, là où la faune sauvage est menacée par les braconniers, ces hommes armés jusqu'aux dents qui, sur leur passage, tuent aussi bien les éléphants que les gardes. C'est un super-héros pour moi, comme ceux qu'on peut voir dans les films d'*Indiana Jones*. Le colonel Jean-Luc, comme l'appelle le personnel du parc, s'apprête à partir en brousse avec les gardes du parc pour une formation sur le terrain. En jetant un coup d'œil dans la cour, j'aperçois en effet les gardes en tenue affairés autour des pick-up où ils chargent le réservoir à eau, les lits de camp et tout leur attirail de guerre. Je reconnais même un lance-roquettes.

La nuit tombe, les bruits de la brousse s'intensifient, et le bar où je suis en train de boire une soupe me semble bien ennuyeux comparé à l'agitation qui règne autour de moi. Je décide donc d'aller à la rencontre du colonel occupé à briefer ses hommes.

— Les gars, là où on va, c'est le point d'entrée des braconniers dans le parc. Alors j'attends de vous de la rigueur et de la discipline ! La nuit tombée, pas de torches, pas de feu. Ne donnez pas l'occasion aux braconniers de nous repérer, autrement il y en a parmi nous qui reviendront sur une civière, c'est compris ?

— Oui, colonel !

— Rompez !

Les gardes du parc se dispersent alors par petits groupes dans la pénombre, tandis que quelques-uns montent à l'arrière d'un pick-up qui démarre à vive allure. Le colonel ne me prête toujours pas attention. Je m'approche encore.

— Bonsoir, colonel. Je me présente : Stéphanie, je suis en train de mettre en place une organisation visant à protéger les éléphants du Tchad.

Son regard franc se pose sur moi.

— Bien. Je suis le colonel X, Jean-Luc, si vous préférez. Je fais ici de la formation LAB pour les soldats qui protègent le parc de Zakouma. Il y en a encore un qui a été tué le mois dernier et on ne compte plus le nombre d'éléphants abattus !

C'est la première fois que j'entendais cette expression, LAB, lutte antibraconnage, mais, de peur de ne pas avoir l'air suffisamment informée, je ne pose pas trop de questions.

— Oui, je comprends, la situation est critique. C'est bien que vous entraîniez les gardes de ce parc.

— J'essaie. Ce n'est pas facile, c'est la guerre ici. Les gars que vous venez de voir, ils n'ont pas tout à fait compris que c'est leur peau contre celle des braconniers. Parmi eux, d'ici deux ans, il y en a au moins deux qui auront été abattus en tentant de défendre les éléphants ! La situation est la même dans tous les parcs nationaux d'Afrique. Des carcasses et des carcasses et des salopards qui font du commerce d'ivoire.

La situation que le colonel me décrit est désespérante et reflète malheureusement la réalité : sur le continent africain, une centaine d'éléphants sont abattus chaque jour et les quatre cent soixante-dix mille éléphants restants sont condamnés si le trafic d'ivoire ne cesse pas. Mon regard croise celui du colonel :

— Que peut-on faire pour que ça s'arrête ?

Il me répond avec la franchise qui est la sienne :

— Pas d'états d'âme, madame, il faut buter les braconniers sans hésitation ! C'est ce que j'essaie de faire comprendre à mes gars. Un homme qui lève son arme contre un éléphant la lève aussi contre un garde ; ça doit rentrer dans leur tête. Autrement ils vont y passer, et moi, je n'aurai pas fait mon boulot. Les états d'âme et la philosophie, ce n'est pas le truc du métier ! Si je suis vivant aujourd'hui, ce n'est pas de la chance ; trente ans d'armée dans les commandos, je sais de quoi je parle.

Je bois les paroles du colonel. Je sens les moustiques me dévorer les jambes mais, de peur que notre conversation s'interrompe, je reste impassible.

— Vous partez en brousse demain, colonel ?

— Oui. Il se fait tard, d'ailleurs. Demain, on lève l'ancre à cinq heures du matin pour l'entraînement.

Il me salue et me quitte alors d'un pas rapide. Après cet échange, je dors mal et fais des rêves étranges. Je sens que je dois accompagner le colonel pour mieux connaître la problématique du braconnage. Réveillée et habillée à quatre heures, je suis décidée à tout faire pour que le colonel m'autorise à l'accompagner. À 4 h 30, je l'aperçois qui sort de sa case.

— Bonjours, colonel.

— Bonjour, madame. Bien dormi ?

— Oui, merci, colonel. En fait, je voudrais vous demander une faveur.

— De quoi s'agit-il ?

Un court instant, je suis tentée de faire demi-tour, persuadée qu'il va m'opposer un non franc et direct.

— Colonel, je ne veux pas vous importuner, mais je désire plus que tout vous accompagner en brousse. C'est vital pour la suite de mes activités au sein de mon organisation.

— Vous vous intéressez à la LAB ? Vous allez vous emmerder avec nous en brousse : huit heures de formation par jour, suivies par les entraînements la semaine d'après, me répond-il, dubitatif. Non, ça ne va pas coller. Ce n'est pas du tout un monde de femmes, la brousse, ni la LAB ! Et puis, il fait 45 °C, il y a très peu d'eau et les douches, c'est tous les deux jours ; le réservoir est très petit.

Même si toute la nuit j'avais plus ou moins imaginé cette réponse, je suis extrêmement déçue. Je retourne dans ma hutte, le visage triste. Quelques minutes plus tard, un pick-up bondé de soldats passe juste devant ma porte. Je sors saluer tout le monde quand, soudain, le colonel, à l'avant de la voiture, kalachnikov dépassant de la fenêtre, s'écrie :

— Allez, la miss, je vous emmène ! Vous avez cinq minutes pour faire votre sac !

Mon sac est déjà prêt, je monte à l'avant du pick-up en une minute et le véhicule démarre, laissant derrière lui un nuage de poussière.

Arrivés à la mare de Banian, non loin d'une des entrées du parc, les soldats installent leur camp. Le colonel fait préparer mon lit à quelques mètres du sien, entre deux troncs d'arbres. Il n'est pas tout à fait onze heures et le soleil frappe déjà très fort. Le colonel rassemble ses hommes et leur annonce le programme de la journée : les cours commenceront à quinze heures, juste après la vague de chaleur de la journée. Vers midi, nous déjeunons rapidement, puis je pars m'allonger sous mon tronc d'arbre munie d'un bloc-notes et commence à écrire le scénario d'un film intitulé *Zakouma*, une histoire de braconnage.

Quelques années plus tôt, j'ai déjà écrit dans le désert jordanien le scénario d'un film, *Oversight* (« L'oubli »), dont malheureusement certaines scènes ont été plagiées par la compagnie américaine Warner Bros, et dans une moindre mesure par George Clooney, coproducteur. J'étais certaine de la violation de mes droits d'auteur et du plagiat, je reconnaissais les scènes et les têtes de scène, les personnages, et parfois le vocabulaire. Pourtant, malgré l'enregistrement du script aux États-Unis et en France, je n'ai pas réussi à me défendre devant les tribunaux. Un magistrat m'avait expliqué : « En France, on ne peut pas attaquer George

Clooney, c'est comme si on attaquait l'Amérique. » J'en avais conclu, aussi frustrant que cela puisse être, que la revendication des droits d'auteur d'une œuvre plagiée par des Américains était réservée aux auteurs américains.

Là, en pleine brousse, sous mon hamac, je redouble d'inspiration. J'aurai ma revanche, j'écrirai un autre film et le porterai jusqu'à Hollywood. Cette détermination est le fruit de ma passion pour les éléphants d'Afrique. Le trafic d'ivoire les menace de mort si une action de sensibilisation d'envergure mondiale n'est pas menée. Avant qu'ils ne disparaissent tous, il faut leur donner davantage de moyens.

À quinze heures pile, je rejoins le groupe de soldats, leurs armes à la main. C'est bien la première fois que je vois un arsenal si important ; de quoi mener une guerre pendant plusieurs jours ! Notre cible : les ennemis des éléphants et de la faune sauvage ; mes ennemis. Le colonel est très patient avec les militaires, même avec ceux qui, comme moi, semblent découvrir les techniques de guerre.

À l'approche de la fin du jour, le colonel arrête les cours et un soldat est désigné pour cuisiner pour le groupe. Vers 20 h 30, nous rejoignons chacun notre lit et les hommes montent la garde à tour de rôle. Chaque nuit, ils choisissent un mot de passe ; celui qui marche dans le camp sans le connaître s'expose aux tirs. Toutes les nuits, je redoute d'oublier ce fameux mot lorsque je sors de mon lit pour aller me soulager derrière les arbres. Par chance, aucun braconnier ne viendra perturber notre séjour en brousse. Le colonel est convaincu que ces tueurs d'éléphants ont des indicateurs parmi les soldats qu'il a emmenés en brousse et qu'ils ont reçu le mot d'ordre de ne pas approcher notre camp sous peine de se faire tirer comme des lapins, compte tenu de l'arsenal dont le colonel Jean-Luc dispose. Ce dernier a déjà travaillé dans de nombreux parcs d'Afrique centrale, il sait de quoi il parle. Le dernier soir, il me fait part de son amertume. Sa voix est bercée par le chant des grillons.

— Vous savez, Stéphanie, j'admire votre engagement mais, selon moi, le combat est perdu d'avance. Nous sommes en train de perdre ces éléphants ! Ce que je fais, ce que d'autres instructeurs font auprès des gardes des réserves protégées ne sert quasiment à rien, il y a trop peu de moyens. Les défis sont énormes, à commencer par la corruption !

Je sursaute.

— La corruption ?

— Oui. Combien sont-ils, à votre avis, les gardes des parcs impliqués dans le trafic d'ivoire ? Partout en Afrique, ce sont les mêmes brebis galeuses du département des Eaux et Forêts qui sont complices des braconniers. Ce n'est pas un hasard si on ne les croise pas ici alors que nous sommes surarmés.

— Vous pensez que les braconniers savent que nous sommes ici ?

— C'est possible. Allez, bonne nuit, la miss !

Comment trouver le sommeil après de tels propos ? J'imagine les braconniers, à cheval et surarmés, en train de parcourir la brousse pour abattre les éléphants et leur couper la tête. Je les vois disparaître ensuite dans la nuit noire, portant à bout de bras les sanguinolentes défenses en ivoire pour les remettre aux trafiquants qui les acheminent principalement vers la Chine ainsi que vers les contrées exotiques d'Asie du Sud-Est.

À cinq heures, Jean-Luc me réveille en déposant un café à côté de mon lit de camp.

— Allez, la miss, pour vous réveiller ! Même si la brousse n'est pas un monde de bonnes femmes, le vieux baroudeur que je suis se rappelle de temps à autre quelques notions de galanterie. Et puis, vous n'êtes pas trop chiante, et ça, c'est bien !

C'est notre dernière journée de formation et, vers onze heures, les soldats commencent à plier le camp. À quatorze heures, nous sommes déjà à Tinga et les éléments repartent dans leurs détachements respectifs. Le pilote du Cessna vient immédiatement me voir ; il a aperçu une carcasse d'éléphant et a noté sa position GPS. Nous partons sur les lieux en Jeep.

Le Dernier des éléphants

Lorsque nous arrivons, la carcasse est déjà cernée par de gros rapaces qui la picorent. Aucun doute possible, la tête a bien été coupée à la hache et les défenses ont disparu. L'odeur de la chair en décomposition est insoutenable et me rappelle subitement celle des cadavres qui, après la rébellion, jonchaient la cour de mon bureau à N'Djamena. Cette odeur, je la retrouverai de nombreuses fois sur le territoire tchadien ; c'est l'odeur de l'extermination silencieuse des éléphants.

9

Rompre la loi du silence

De retour à N'Djamena, nous recevons enfin une autorisation de fonctionnement signée par le ministre de l'Intérieur. Je suis heureuse ! Raphaël est toujours à Dembo et là-bas, la situation est de plus en plus délicate : après son intervention, plusieurs personnes, dont un sous-préfet, ont été arrêtées, des perquisitions ont été effectuées par les militaires de la brigade mobile de protection de l'environnement. Chez le sous-préfet, ils ont trouvé des armes et des défenses d'ivoire. Ce dernier tente de se défendre tant bien que mal, mais nous maintenons la pression sur les autorités afin qu'elles continuent l'enquête. Je suis déterminée à comprendre le rôle que jouent les autorités locales dans le trafic d'ivoire. Et je réussis. Je réalise que ces hommes armés venus du Soudan voisin et qui sillonnent toute l'Afrique centrale, de Khartoum à Bangui, en passant par N'Djamena et Yaoundé, ne sont pas les seuls responsables ; certaines autorités de la sous-région sont également impliquées. Le kilogramme d'ivoire se vend à plus de huit cents dollars en Afrique et atteindrait mille cinq cents dollars une fois arrivé en Chine et, malgré l'interdiction par la loi tchadienne, les acheteurs sont présents ici, sur le territoire. Ces acheteurs, je le découvrirai plus tard, ce sont les travailleurs chinois, ceux-là mêmes qui, sous prétexte d'aider au développement du pays, débarquent chaque semaine à N'Djamena pour construire les routes et les autres infrastructures.

Quand Raphaël revient enfin à N'Djamena, il est découragé. Les photos qu'il me montre sont effrayantes. Après le massacre de quatre-vingts éléphants, la population s'est empressée de dépecer ces pauvres bêtes pour manger la viande de brousse. Sur les clichés, il ne reste plus que quelques gros crânes dispersés çà et là sur un champ.

— Il faut en parler, faire du boucan ! C'est la seule solution pour que ces carnages s'arrêtent. On va finir par tous les perdre ! dis-je, alarmée, à Raphaël.

Je rédige en vitesse un communiqué de presse que Raphaël et moi, dans l'après-midi, distribuons aux radios et à la presse écrite. Le soir même, les radios diffusent mon communiqué et, le lendemain matin, je suis en une du *Progrès*, journal plutôt proche de la majorité présidentielle et plus gros imprimeur du Tchad. L'article s'intitule « Les éléphants menacés de disparition, SOS Éléphants du Tchad appelle le chef de l'État au secours ».

Ce gros titre suscite de nombreuses réactions, mélange de curiosité et d'envie. La plupart des Tchadiens que je croise ne comprennent pas pourquoi j'ai créé une organisation de défense des éléphants. Ils me disent : « Ils sont là, non ? » Les seuls qui semblent conscients de l'ampleur du braconnage sont les membres de la direction des parcs, mais, de peur d'avoir des problèmes, ils évitent d'évoquer le sujet. Élue à la tête de SOS Éléphants, il est hors de question pour moi de me taire. La survie des éléphants en dépend.

Quelques heures plus tard, dans la soirée, Gérard, chez qui je loge toujours, rentre. Il est d'excellente humeur :

— Le chef de la délégation du Tchad est fou de colère que tu aies fait la une du *Progrès* ! Il a appelé tous ses collaborateurs et a demandé à ce qu'on t'interdise l'accès au parc de Zakouma.

Cette nouvelle, qui fait tant rire Gérard, me révolte et me peine.

— Quoi ? Mais, c'est un parc national tchadien, pas le parc du chef de l'Union européenne !

Gérard ne peut s'empêcher de rire.

— Que lui as-tu fait pour qu'il soit si en colère ?
— Rien. C'est un vieux schnock qui perd la boule.

Les jours suivants, l'arrestation du sous-préfet de Dembo prend une tournure dramatique. Raphaël m'avoue que le sous-préfet est un parent de Daboulaye, le directeur des parcs, et donc de lui-même. Un conseil de famille vient de se tenir. Je sens Raphaël hésitant. J'ai l'impression qu'il va nous abandonner, moi et SOS Éléphants.

— Que veux-tu que je te dise, Raphaël, si ça te cause trop de problèmes, tu t'écartes du dossier et je continue toute seule !

Raphaël semble très ennuyé, déchiré entre l'envie d'éviter l'ire familiale et la promesse que nous nous sommes faite de sauver les éléphants du pays.

— Non, pardon, je savais que ce ne serait pas facile. On continue !

Pendant deux semaines, Raphaël est convoqué à des conseils de famille. On le sermonne, on l'accuse d'avoir semé la zizanie et d'être à l'origine de tous les malheurs qui frappent sa famille élargie. Son visage est tendu et je le sais blessé.

— Raphaël, même si ton parent n'a rien à voir avec ce braconnage, il doit tout de même reconnaître que les défenses en ivoire ont été retrouvées chez lui. C'est la grande mode apparemment chez les autorités administratives.

Je suis convaincue que le sous-préfet n'est pas un braconnier, ni même un complice de braconnier. C'est un receleur d'ivoire. Il a profité des abattages de Dembo pour récupérer plusieurs défenses et les a cachées chez lui en attendant de pouvoir les vendre. Cette attitude, si elle se généralise, va encore aggraver la menace d'extinction. Je veux à tout prix éviter cela. Je continue donc à exercer une pression sur les autorités. Tout le monde, au Tchad, sait maintenant que je suis cette enquête de très près.

Quelques semaines plus tard, coup de théâtre : le sous-préfet est relâché. Les forces de l'ordre que j'interroge me font comprendre que l'implication du sous-préfet n'est pas si évidente que cela.

Fin avril 2009, nos indicateurs nous signalent l'abattage d'une dizaine d'éléphants vers le lac Fitri, à quelques centaines de kilomètres au nord de N'Djamena. Le conseiller du ministre de l'Environnement, un coopérant, m'annonce que dans cette zone du centre du Tchad il ne reste plus qu'un petit groupe de soixante éléphants qui avaient été jusque-là épargnés par le braconnage. Ostensiblement, ce dernier abattage sonne le glas de ces éléphants, puisqu'à partir du moment où certains membres d'un même groupe sont abattus, ils risquent tous de disparaître un à un. Et je redoute donc le pire. Je regarde la carte du Tchad que j'ai emportée et dessine un gros point d'interrogation là où est écrit « lac Fitri ».

Quelques heures plus tard, je récupère Raphaël, Kofi, le responsable de la sensibilisation, et Nadji, un de nos vétérinaires, et à quatre heures du matin, nous partons en direction du lac Fitri. Nous arrivons vers quinze heures. Comme il est d'usage au Tchad, le chef traditionnel du canton nous accueille sous une sorte de tente. Pendant plus d'une heure, nous évoquons les problèmes de son canton, en particulier la présence des pachydermes qui mangent les récoltes et dérangent la population. Au Tchad, où la température moyenne dépasse les 40 °C, les éléphants s'abreuvent dans les cours d'eau et les habitants supportent de moins en moins cette cohabitation. Avant d'arriver jusqu'au cours d'eau, les éléphants piétinent ou arrachent les récoltes. On me dresse un véritable réquisitoire contre les éléphants. J'essaie tant bien que mal d'expliquer au chef du canton que si les animaux font des dégâts dans les champs, c'est aussi parce que les paysans les privent de leur espace vital en s'installant dans leur habitat traditionnel qu'on appelle les corridors. Les éléphants sont des mammifères migrants qui ont besoin que leurs zones de passage soient libres de toute occupation humaine. Mais le chef de canton, sourd à mes arguments,

ajoute : « Les gens disent que les dents des éléphants coûtent
très cher. » Je réplique aussitôt : « Qui vous a dit ça ? », et,
toute à ma réflexion, je saisis soudain le fond du problème.
Les pachydermes du Tchad et d'Afrique appartiennent à une
autre époque, lorsque la planète était faiblement peuplée et
que la mondialisation n'avait pas encore atteint les hameaux
reculés des pays africains. Le territoire des éléphants n'était
alors pas fractionné par les champs des paysans, les petits
villages ou les routes construites par les Chinois. Pauvres
pachydermes, trop gros pour supporter le XXIᵉ siècle et ses
avancées désastreuses pour l'environnement.

Aux alentours de 16 h 30, le chef de canton m'informe
que les villages où a eu lieu le carnage sont encore à une
vingtaine de kilomètres et que, le chemin étant difficilement
praticable, il n'est pas prudent d'y aller avant la tombée de
la nuit. Je fais comprendre au chef que je suis déterminée ;
je n'ai pas parcouru plus de trois cents kilomètres avec mon
équipe pour rien. En une fraction de seconde, il passe
quelques coups de téléphone et demande à ce que nous béné-
ficiions d'une escorte. Une demi-heure plus tard, plusieurs
hommes, armés de leur kalachnikov, montent dans ma voiture de location et nous nous dirigeons vers le petit groupe
de villages situés près du lac Fitri.

Nous trouvons les éléphants étendus là, à l'entrée des
villages, étêtés, défenses arrachées. Les trompes, coupées,
gisent à quelques mètres. Les insectes commencent à recou-
vrir les carcasses. Il y en a une, puis deux, puis trois… Mon
équipe et moi-même sommes tous très peinés.

Le chef de village ne me quitte pas une seule seconde, et
au lieu de s'apitoyer sur les carcasses, il grimpe dessus en
un geste triomphateur pendant que les membres de mon
équipe prennent des photos de ce carnage. Je m'interroge :
comment ces éléphants ont-ils pu être abattus si près des
villages sans que personne n'entende le moindre coup de
feu ?

Nous nous rapprochons en voiture du lac Fitri, dont la berge est également jonchée de carcasses. Plusieurs éléphants ont été abattus alors qu'ils s'abreuvaient et leur carcasse gît dans une mare de sang qui se déverse dans le lac. Je préviens le chef de village :

— Vous risquez d'attraper des maladies, faites attention.

— Quelles maladies ?

Je lui dis que le choléra pourrait se déclencher dans le secteur à cause de ces grosses carcasses en décomposition. Et effectivement, je ne sais pas si c'est lié, mais quelques mois plus tard, une épidémie de choléra se déclarera dans toute la région du lac Fitri, ainsi que dans d'autres régions du Tchad où il y a des cours d'eau.

Sur le chemin du retour, nous longeons plusieurs champs cultivés. Le chef de village me dit :

— Voyez ces tomates, ces aubergines… Tout ça, les éléphants le détruisent en permanence.

Je me sens tellement désarmée et impuissante. Les éléphants que je défends anéantissent les récoltes et j'ai l'impression que les communautés en profitent pour tolérer, si ce n'est justifier, l'abattage des pachydermes. La nuit tombe, je ne dis plus rien, je suis songeuse. Soudain, le chef de village reçoit un appel. Il décroche et, après quelques minutes, m'annonce :

— Un braconnier a été arrêté hier en train de couper la tête d'un éléphant.

Raphaël et moi nous regardons, interloqués. Je dois interroger ce braconnier.

— Où est-il ?

— Il n'est plus là. Il a été emmené par le coordinateur de la brigade mobile de protection de l'environnement, le colonel Bassi. Un des brigadiers vous donnera ses coordonnées.

Le lendemain matin, aux aurores, après quelques beignets locaux et une tasse de thé bouillant, Raphaël, Kofi, le chauffeur et moi-même reprenons la route. Je suis déterminée à interroger ce braconnier. Je compose le numéro du colonel Bassi, qui décroche immédiatement.

— Colonel, je vous prie de m'excuser, Stéphanie Vergniault à l'appareil, la présidente de SOS Éléphants du Tchad. Je souhaiterais interroger le braconnier que vous venez d'arrêter à Fitri.

— Vous ne pouvez pas le voir, on l'a déjà emmené loin. Je vous téléphonerai le jour où il sera possible de le rencontrer, me répond-il avec un accent prononcé, mélange d'arabe et de zaghawa.

— Colonel, j'insiste. Où que vous soyez, je peux venir. Je vous demande juste de l'interroger au nom de SOS Éléphants.

— Si vous vouliez ce braconnier, vous n'aviez qu'à l'attraper ! Il est à Ati avec mes éléments maintenant.

Et il me raccroche au nez sans ménagements. C'est étrange : pourquoi ne puis-je pas parler à ce braconnier ? Est-ce que cette histoire cache autre chose ? Je me tourne vers Raphaël, agacée.

— Quelle poisse ! Le colonel ne veut pas que nous l'interrogions. Il m'a carrément raccroché au nez ! Je vais tout de même essayer de faire pression sur lui.

Raphaël se met alors à rire :

— Oh là là, tu vas avoir du mal, c'est l'ancien responsable de la sécurité du président au palais.

— Et alors ? Ce n'est pas le premier ni le dernier militaire qui a assuré la sécurité de Déby.

Raphaël rit de plus belle, tandis que Kofi lance, un peu gêné :

— Toi, grâce à ton amitié avec le chef de l'État, les Zaghawas sont comme tes parents, mais nous, les sudistes, on en a une peur bleue. Lui, c'est le beau-frère du président et il traîne derrière lui une cohorte de Zaghawas de la garde présidentielle armés jusqu'aux dents !

Je me mets à sourire :

— Voilà qui est une bonne nouvelle : Déby a donc réagi au braconnage des éléphants et a envoyé ses éléments les protéger.

— Oui, les choses bougent. Souhaitons que ce ne soit pas trop tard. La brigade mobile a été créée il y a quelques semaines par décret du chef de l'État, m'explique Raphaël.

Une heure plus tard, le colonel Bassi me rappelle.
— Oui, colonel ?
— Madame la présidente de SOS Éléphants, on ramène le braconnier à N'Djamena demain pour que vous puissiez lui parler, je sais que c'est important pour vous. Rendez-vous à notre état-major.

Je suis quelque peu étonnée de ce revirement soudain. Les membres de mon équipe sont persuadés que le colonel a appris les liens secrets qui nous unissent, le PR et moi, et ne semblent pas le moins du monde surpris qu'il m'ait rappelée. Nous reprenons donc la route en direction de N'Djamena. C'est la première fois que je dois interroger un tueur d'éléphants professionnel et, tandis que de magnifiques paysages défilent sous mes yeux, je prépare mes questions, persuadée que je vais démanteler une filière de trafiquants d'ivoire.

Le lendemain, au volant de la voiture de location, je m'engouffre dans l'enceinte du bâtiment de la direction des Eaux et Forêts où est logée la brigade mobile. Raphaël m'accompagne. Je gare la voiture dans la cour et des militaires nous conduisent auprès du colonel Bassi, qui me salue très simplement et m'invite à m'asseoir sur une sorte de natte. En quelques secondes, un aide de camp dépose devant moi un thé vert bouillant puis quelques morceaux de mouton joliment présentés dans un plat en métal. Le colonel s'assied à mes côtés et me dit :
— Allez, mangez ! Mes éléments sont allés chercher le braconnier.

Assise aux côtés d'Oumar Bassi, je me sens très à l'aise. Il est sympathique et souriant, presque timide. Je reconnais parfois la timidité du chef de l'État avec les femmes.

Quelques minutes plus tard, le braconnier arrive, pieds nus, encadré de deux soldats. Il n'est pas menotté. Il s'assied dans l'herbe en face de moi, genoux croisés. Je l'observe longuement. Le colonel Bassi désigne un de ses hommes pour faire office de traducteur. Je commence l'interview, fixant le braconnier droit dans les yeux, pendant que Raphaël prend des notes sur un petit cahier.

— Quel est ton nom ?

Malgré le traducteur, le braconnier ne répond pas.

Bassi me dit alors :

— Je vous préviens, il ne parle pas. Il a tué plusieurs éléphants avec ses complices et il refuse de dire la vérité. On a pourtant des témoins qui l'ont vu couper à la hache la tête de l'éléphant, et il a été attrapé s'enfuyant avec les défenses d'ivoire. Son cheval a décampé après un coup de feu, c'est comme ça qu'on l'a eu.

L'homme refuse toujours de parler.

— Vous n'avez rien sur lui, aucune information ? Où sont ses complices, d'où viennent-ils, pour qui travaillent-ils ?

— La seule chose dont on est sûrs, c'est qu'il s'appelle Mahamat Brahim, car on a trouvé un papier d'identification sur lui, me répond alors le traducteur.

— Il est tchadien ?

— Oui, il est d'origine tchadienne, mais on ne sait pas trop s'il vit dans le Batha ou ailleurs.

J'essaie de garder mon calme et dis au colonel Bassi :

— Colonel, il faut qu'il parle. Les éléphants du Tchad vont tous mourir si les braconniers ne nous disent pas où sont leurs complices et comment ils sont organisés.

Raphaël se tourne alors vers moi :

— Faites-lui peur, il sera peut-être plus bavard.

— On va l'envoyer à la prison de Korotoro et attendre quelques semaines. À mon avis, quand il ne voudra plus rester là-bas, il parlera, intervient le colonel Bassi.

La prison de Korotoro est surnommée « Guantánamo » par les Tchadiens, car elle est construite au beau milieu du désert ; il n'y a donc aucun moyen de s'enfuir, sous peine de risquer de mourir déshydraté. Je sais que, grâce à ma position auprès des autorités du Tchad, je peux alléger la peine de prison du braconnier. Je fais une dernière tentative.

— Écoute, moi je suis là pour sauver les éléphants. Je ne veux pas qu'on les tue. Si tu me dis d'où tu viens et où, toi et tes complices, vous vendez les défenses d'éléphant, je te promets que je négocierai ta liberté auprès des soldats.

— Je vous l'ai déjà dit, je ne sais pas qui achète les dents. Ce n'est pas moi qui ai tiré sur cet éléphant !

— Ben voyons ! Tu as été pris en flagrant délit. Tu lui coupais la tête avec une hache !

Le braconnier s'enferme alors de nouveau dans son mutisme. J'attends désespérément une réponse, quand le colonel Bassi m'informe qu'un autre braconnier a été capturé la veille. Il le fait venir pour que je l'interroge également.

Quand le nouveau braconnier arrive, je lui demande de s'asseoir en face de moi, à côté de Mahamat Brahim. Ils semblent frères tant leur morphologie et leur comportement sont identiques. Lui non plus n'avoue rien. Il explique que les braconniers sont venus le chercher chez lui, qu'il a eu peur et s'est senti obligé de tuer les éléphants.

Cette histoire est grotesque : il est connu des militaires tchadiens. On le soupçonne d'avoir assassiné plusieurs gardes du parc de Zakouma et probablement des dizaines, voire des centaines d'éléphants. Il y a quelques années déjà, il a été arrêté après le meurtre d'un garde du parc, mais il a réussi à s'enfuir de prison avant son jugement. Depuis, il s'adonne au braconnage dans le parc de Zakouma, souvent avec la complicité des tribus nomades vivant en périphérie.

C'est à cause de ce genre d'individus que les éléphants du parc de Zakouma ont été décimés. Entre 2006 et 2008, quelque trois mille cinq cents animaux auraient été massacrés. Ce chiffre donne le vertige. Je fais une dernière tentative, mais le braconnier reste muet comme une carpe. Un des éléments du colonel Bassi prend alors la parole :

— Celui-là, il connaît mieux les armes que nous tous, c'est un tireur d'élite.

Soudain, je comprends mieux les propos que le colonel français Jean-Luc tenait quelques semaines auparavant : « Si vous croisez des braconniers, n'hésitez pas, tirez. C'est eux ou vous, sauvez votre peau, sauvez les éléphants. Eux, ils ne vous feront pas de cadeaux. »

— Où a-t-il appris à tirer, à votre avis ?

— Nous, hommes du Nord, on sait tirer depuis qu'on est enfant, me répond le colonel Bassi.

— Est-il possible que cet homme soit un ancien militaire démobilisé reconverti dans le braconnage ?

— On ne sait pas. C'est possible. En tout cas, s'il a fait partie de l'armée, il l'a quittée il y a très longtemps. On ne le connaît pas.

Le colonel Bassi est persuadé que le braconnier vit entre le Soudan et la RCA et se déplace régulièrement dans le Salamat, la région du parc de Zakouma. Pour moi, cet homme est d'origine tchadienne, même si les Tchadiens semblent gênés de l'admettre. Il est toutefois évident que les frontières entre le Tchad et de nombreux pays comme la République centrafricaine, le Soudan ou le Cameroun sont de véritables passoires. Les braconniers les franchissent, avec chevaux et chameaux, sans le moindre contrôle.

Plus je me consacre à la lutte contre le braconnage des éléphants, plus je constate que le problème est d'une grande complexité. Beaucoup de facteurs sont à prendre en compte : la pauvreté, les frontières poreuses, les migrations des populations nomades, des éléphants, le manque de sensibilisation des personnes, la circulation des armes, la corruption...

— *Halas* ! Ça suffit !

Le colonel Bassi donne l'ordre de ramener les braconniers en cellule. Je les regarde s'éloigner, déçue. J'étais prête à me battre auprès du colonel Bassi et des autorités tchadiennes pour défendre ces deux braconniers. Il aurait suffi qu'ils nous aident à démanteler le réseau qui anéantit les éléphants du Tchad. Je n'ai pas eu cette chance. Ces hommes préfèrent mourir plutôt que de partager leurs secrets et livrer leurs camarades. Ils savent que, au regard de la loi sur la protection de la faune au Tchad, ils vont faire deux ans de prison. Visiblement, c'est trop peu pour les dissuader de continuer. Je quitte le colonel Bassi en le remerciant de m'avoir autorisé à interroger ses prisonniers.

— Notre objectif est le même. Nous devons travailler ensemble pour sauver les éléphants, me répond-il.

Je souris. C'est vrai que nous sommes un peu comme des militaires en mission. Dans la voiture, sur le chemin du retour, Raphaël me dit en riant :

— Tu te rends comptes, Stéph ? Le supermarché des braconniers présenté par les Zaghawas. Jamais une chose pareille n'aurait été possible si tu n'avais pas été là... Ha ha ! Le jeu entre Stéph et le PR...

Je ris avec lui, mais reprends vite mon sérieux en pensant à la tâche colossale qui nous attend encore et à ces malheureux pachydermes qui se font abattre massivement chaque semaine dans la sous-région.

Nos activités au sein de SOS Éléphants du Tchad prennent petit à petit de l'ampleur. Il ne se passe pas une semaine sans que les médias nationaux n'évoquent le problème du braconnage au Tchad, les dernières arrestations ou les programmes que nous mettons en œuvre.

Naturellement, j'ai commencé à monter des dossiers de demandes de financement mais, les réponses tardant à arriver, je suis obligée de puiser dans mes maigres économies de consultante. Comptant sur mon amitié avec le chef de l'État, j'ai fait parvenir à son directeur de cabinet une demande d'affectation de véhicule. Je n'ai jamais reçu la moindre réponse. Je soupçonne Hinda Déby, en qualité de secrétaire particulière de son mari, de bloquer notre dossier de demande d'aide. Cette femme est d'une jalousie maladive, elle se réserve le monopole des actions philanthropiques afin de se garder une place de choix à la présidence. Elle et moi ne réfléchissons absolument pas de la même façon, mais je doute qu'elle le comprenne un jour. Je suis venue au Tchad pour sauver les éléphants, pas pour faire fortune !

Par conséquent, nous nous débrouillons comme nous pouvons. Notre quartier général, où nos réunions se tiennent, est une modeste pièce que nous louons dans le quartier des sudistes, à Moursal. J'attends secrètement que le chef de l'État nous vienne en aide, mais les semaines passent et nous n'avons toujours aucun soutien logistique. Je ne lui en veux pas, je suis sûre qu'il n'a jamais vu mes courriers. Et puis nous sommes tout de même aidés par beaucoup de monde au Tchad : des gouverneurs, des préfets, des sous-préfets, des agents des Eaux et Forêts, la brigade mobile de protection de l'environnement… et je suis persuadée que le chef de l'État n'y est pas pour rien.

Le colonel Bassi, quant à lui, a compris que mon équipe, qui se démène sans relâche pour obtenir des renseignements sur le braconnage dans toutes les régions où il y a des éléphants, est extrêmement douée pour soutirer, en un temps record, des informations auxquelles lui-même n'a parfois pas accès. Ainsi, il est de plus en plus fréquent qu'il nous rejoigne en brousse avec ses éléments. Au fond, nous sommes complémentaires : j'ai besoin des hommes armés du colonel Bassi pour sauver les éléphants, tandis qu'eux s'appuient sur les analyses de mon équipe pour traquer les braconniers.

Certes, je ne suis pas née au Tchad, mais la passion que je voue à la sauvegarde des éléphants fait de moi une experte de la géographie du pays. Je passe une bonne partie de mon temps à essayer de localiser les éléphants sur le territoire et à identifier les problèmes liés à leur conservation. Il ne se passe pas une journée sans que j'appelle un chef de village ou un chef de canton pour l'interroger sur tel ou tel problème dans sa localité.

La majorité des membres de la brigade mobile sont issus de la garde présidentielle. Ils ont passé de très nombreuses années, non pas à s'initier aux techniques de la lutte anti-braconnage, mais à se battre aux côtés de leur chef sur les fronts de l'Est ou du Nord, tentant de déjouer les tentatives de coup d'État des groupes rebelles. Idriss Déby est très respecté par ses compagnons d'armes. Ils le suivent en leader incontesté depuis longtemps, avant même que ce dernier ne ravisse le pouvoir à Hissène Habré, en 1990. Le colonel Bassi, bien que discret sur ses relations avec le PR, me raconte un soir qu'il s'est enrôlé à ses côtés alors qu'il n'avait que quatorze ou quinze ans. Depuis, il ne l'a jamais quitté et en retour, le président lui a offert en mariage sa petite sœur. Le chef a donné l'ordre à ces militaires de protéger les éléphants et ils prennent leur mission très au sérieux.

Lorsque le colonel Bassi et ses hommes nous rejoignent en brousse, ils insistent toujours pour que nous dormions dans leur camp. Au début, mon équipe, traumatisée par l'histoire récente du Tchad, manifeste une certaine réticence. Les heurts sanglants entre sudistes et nordistes les ont énormément marqués. Raphaël, Kofi et les autres échangent des regards complices avant de m'avouer :

— Tu comprends, on n'est pas à l'aise, ils ont des armes de guerre. Le soir, ils les astiquent pendant au moins une heure, et la nuit, ils dorment avec leurs pistolets sous l'oreiller !

— On est dans un camp militaire, c'est normal que les éléments soient armés, dis-je en souriant. Vous voulez dormir où, sinon ?

La plupart du temps, mon équipe finit par obtempérer, grâce aux militaires qui nous offrent une bonne viande de mouton grillée et un thé succulent. Nous passons alors la soirée à discuter et à boire de la bière ou du whisky, autour d'un feu de camp.

Je crois que la plus grande angoisse des membres de l'équipe est de ne pas se rappeler le mot de passe qui sert à circuler dans le camp la nuit. Comme dans tout camp militaire, le mot de passe change toutes les nuits, et, après quelques Gala, la bière fabriquée au Tchad, ils l'oublient. Un matin, Raphaël me dit :

— Je n'ai pas pu me soulager de toute la nuit, je ne me souvenais plus du mot de passe et j'ai eu peur de circuler dans le camp et de me faire buter comme un lapin !

Ça me fait rire. Nous sommes les invités de marque de la brigade mobile ; sous leur protection, rien ne peut nous arriver. L'hospitalité est sacrée chez les hommes du désert. En plus, ils savent que leur chef m'aime bien, donc ils sont très respectueux et me traitent comme une sœur. Ainsi, tout naturellement, un soir où nous bivouaquons, alors que les Tchadiens m'appellent déjà Amma Fils, « Maman éléphant », le colonel Bassi me surnomme chaleureusement Take, ce qui, en langage zaghawa, veut dire « Fais ce que ton cœur te dit ». J'en suis très fière.

Il reste environ deux mille éléphants au Tchad et, même si le braconnage continue, je demeure persuadée que le nombre de tueries d'éléphants a baissé ces dernières années. La brigade mobile et SOS Éléphants du Tchad y sont pour beaucoup. Je me débrouille systématiquement pour faire un énorme tapage médiatique dès qu'un éléphant tombe sous les balles des braconniers. Cette attitude déclenche parfois de violentes querelles, notamment avec la direction des parcs au ministère de l'Environnement, qui, à mon sens, a passé trop d'abattages sous silence. Je suis consciente que certains Tchadiens ont peur de parler. Il faut pourtant qu'ils le fassent, c'est le seul remède ; taire les massacres, quelles qu'en soient les raisons, relève de la lâcheté, surtout quand on sait que l'enjeu est la survie de cet animal magique qu'est l'éléphant.

10

En quête de preuves

En avril 2009, Raphaël, Beri, notre chargé de lutte anti-braconnage, et moi quittons N'Djamena en urgence à quatre heures du matin pour rejoindre la région du Mayo-Kebbi Est, à la frontière du Cameroun. Je viens d'apprendre que plusieurs éléphants ont été abattus entre les deux frontières, les braconniers profitant de ce no man's land pour traverser les frontières avec l'aide des communautés locales.

Le chef d'un village et son neveu ont été arrêtés pour complicité de braconnage et le jeune procureur de la ville de Pala, le chef-lieu de la région, entend bien condamner les autorités locales. Les carcasses demeurant introuvables et les complices niant leur implication, le procureur a très peu de preuves. Il faut à tout prix que je découvre le lieu du carnage et que je prenne des photos.

À Pala, nous nous rendons immédiatement chez le gouverneur Amadaye, un des rares à avoir compris l'importance de notre mission. En moins d'une demi-heure, il convoque tout ce que la ville compte d'officiels : son chef de cabinet, le directeur départemental des Eaux et Forêts, l'inspecteur forestier, le préfet, le sous-préfet, des soldats...

— J'admire le travail de cette femme, il faut l'aider du mieux qu'on le peut, déclare le gouverneur.

Il n'est pas favorable à ce que je me rende dans ce coin reculé du Tchad en milieu de journée, mais le temps m'est compté. Je dois partir au plus vite et rapporter ces fameuses photos. Nous quittons le gouverneur vers onze heures. Suivant ses instructions, nous nous arrêtons à la sous-préfecture de Cagal, où nous embarquons le sous-préfet et deux militaires armés jusqu'aux dents. Le sous-préfet semble inquiet :

— La zone où on va n'est vraiment pas sûre et nous risquons d'arriver très tard !

Mon téléphone sonne lorsque notre voiture bifurque sur une petite route de brousse. Le signal est très faible. C'est le colonel Bassi.

— Take, quelle est ta position ?

— Nous venons de quitter Cagal avec le sous-préfet et deux éléments. Nous nous dirigeons vers un village du nom de Guerda.

— C'est où, ça, Guerda ? Tu vas faire quoi là-bas ? me questionne-t-il nerveusement.

— Je suis à la recherche de carcasses.

Je le sens désormais franchement inquiet, mais notre conversation s'interrompt, je suis en pleine brousse et mon portable ne capte plus. Sur la route, de nombreuses branches ralentissent notre avancée. À plusieurs reprises, nous devons descendre du véhicule pour franchir ces obstacles. À quatorze heures, nous arrivons enfin et j'ai l'impression que la nuit tombe déjà.

Dès qu'ils nous aperçoivent, les habitants de Guerda se mettent à chanter et à danser. Une fois leur cérémonie d'accueil terminée, le sous-préfet leur explique que je représente une organisation qui défend les éléphants et que, au Tchad, les éléphants sont protégés. Il ajoute :

— Celui d'entre vous qui abat un éléphant risque deux ans de prison.

Ils baissent brusquement tous la tête, comme des enfants qui viennent de se faire prendre la main dans le sac. À mon tour, sur l'invitation du sous-préfet, je les interroge :

— Avez-vous aperçu des carcasses d'éléphants ?

Ils répondent par un non massif. Guerda est un village isolé, j'imagine qu'ils ont peur des visites. Ils doivent nous considérer comme des intrus dont dépend le sort de leur chef. Cette affaire d'abattage d'éléphants empoisonne leur existence.

— Comment savez-vous qu'elles sont là si aucun d'entre vous ne les a vues ? leur dis-je en souriant.

Leur regard fond de nouveau vers le sol. Je continue :

— À combien de kilomètres sont ces carcasses ?

— Dix, vingt kilomètres... on ne sait pas trop. C'est très loin, vers la frontière avec le Cameroun.

— Et si nous partons à pied, combien de temps ça va prendre ?

— Deux ou trois heures, me répondent-ils tous en chœur.

Raphaël s'approche alors de moi.

— Stéph, non seulement ces gens n'ont aucune notion des distances, mais ils font aussi tout pour nous faire perdre le peu de temps qu'il nous reste.

— On a combien de temps ?

— La nuit tombe dans moins de trois heures, on ne sait pas à quelle distance c'est et la forêt est truffée de coupeurs de route.

— Tu veux renoncer si près du but ?

— Bien sûr que non ! On vous suit, présidente. Mais il faut prendre une décision maintenant.

Le sous-préfet, agacé, s'approche des villageois et leur explique que s'ils ne collaborent pas, le chef de village restera en prison.

— Alors je vous le répète : qui d'entre vous a vu ces éléphants ? assène-t-il d'un ton décidé.

Trois d'entre eux lèvent le doigt. Le sous-préfet continue :

— Donc vous pouvez nous conduire aux carcasses ?

Ils acquiescent tous les trois. Quel soulagement ! Pendant plus d'une demi-heure, les tergiversations reprennent : il n'y a pas de route, donc on ne peut pas partir en voiture, mais il n'y a pas non plus assez de motos pour tout le monde... Il est évident que les villageois tentent encore de gagner du temps. Ils savent que, la nuit tombée, nous ne nous hasarderons pas dans la forêt.

— Bon, si on n'a pas assez de motos, on y va à pied ! Les militaires nous escorteront avec leurs armes et les motos.

Le sous-préfet n'étant pas en bonne santé, nous partons sur-le-champ, Beri, Raphaël et moi, guidés par les trois villageois. Il est quinze heures passées et la nuit tombe aux alentours de 17 h 30. Nous devons faire vite. Beri, qui a quelques kilos en trop, ne veut pas marcher et demande à un militaire de le transporter. Le militaire lui fait signe de monter à l'arrière de la moto et lui demande de porter les roquettes afin qu'il soit libre de ses mouvements pour conduire l'engin. Beri porte une roquette de chaque côté, c'est tout un exercice d'équilibre. À peine ont-ils parcouru cent mètres que l'une d'entre elles se coince entre deux arbres. Le militaire a tout juste le temps de redresser la moto avant qu'elle ne tombe. Beri descend alors brusquement de la moto, les roquettes à la main, et s'effondre au sol.

— Stop ! Stop ! Je ne veux pas mourir à cause de ces engins ! Elles exploseront dans les arbres, mais sans moi ! s'écrie-t-il, furieux.

Je ne peux m'empêcher d'éclater de rire. C'est vrai, je me demande bien comment ce militaire, même animé de la meilleure volonté, peut nous protéger avec cette arme dont le projectile va inévitablement être arrêté par les arbres. J'espère que nous n'en aurons besoin.

Au bout de deux heures de marche rapide, nous sommes tous essoufflés et en sueur. Tous les cinq mètres, Raphaël et Beri disposent de petites branches en croix pour que, au retour, nous puissions nous rappeler par où nous sommes passés. Pour les pisteurs, c'est semble-t-il évident, mais pour nous autres, chaque arbre et chaque buisson se ressemble.

À dix-sept heures, nous décidons de faire une halte. La nuit tombe et ça fait plus de deux heures que nous marchons. Je me tourne vers un des pisteurs :

— Combien de kilomètres avons-nous encore à parcourir ?

— On n'est plus très loin. Environ une demi-heure de marche, je dirais.

Beri, épuisé et apparemment découragé, s'adresse alors à moi :

— Il est hors de question que je dorme dans cette forêt, c'est trop dangereux ! J'ai des enfants, moi.

Je réalise subitement qu'il n'est pas raisonnable d'entraîner mes deux compagnons dans cette aventure. Je questionne alors les trois hommes qui nous servent de pisteurs :

— Dites-moi, est-ce qu'on peut dormir ici sans danger et reprendre la route demain matin, tôt ?

— Non, c'est trop dangereux, me répondent-ils de concert. Il faut dormir au village.

— Et vous savez comment rentrer dans le noir ?

— Non, on n'est pas du tout sûrs de retrouver le chemin. En plus, on ne pourra plus voir les branches que vous avez déposées sur le chemin.

J'imagine le pire. Non seulement nous n'avons pas vu les carcasses, mais nous sommes voués à dormir dans la forêt. Raphaël et Beri me regardent bizarrement. Je ne sais pas s'ils sont en colère ou inquiets. Un des militaires, celui qui possède le fusil le plus moderne, s'approche de moi.

— Ce sont les carcasses que tu veux voir, non ?

J'acquiesce.

— Alors tu montes sur la moto, on embarque un des pisteurs et on va à la carcasse. On ne peut pas continuer à pied, on n'y arrivera pas. Je reviendrai ensuite chercher les autres.

— Vas-y, sois tranquille, tu ne risques rien, c'est un Zaghawa. Je ne sais pas ce qu'il fait là, mais son collègue sudiste m'a dit sur le chemin qu'il a servi dans la garde présidentielle comme tireur d'élite, me souffle Raphaël à l'oreille. Va avec lui et prends les photos avant la tombée de la nuit. On te rejoindra plus tard. Le plus important, ce sont les photos.

Je pars donc à moto. Nous retrouvons les carcasses en moins de dix minutes. Il ne reste plus que les squelettes des crânes blancs. Quelques mètres plus loin, j'aperçois un immense barbecue de brousse. La chair des éléphants a été boucanée des heures entières au feu de bois pour éviter qu'elle ne se gâte. Je comprends mieux ce qui s'est passé, maintenant. Le chef du village a conduit les braconniers jusqu'au cours d'eau. Ensuite, les braconniers ont tué les éléphants, leur ont coupé la tête et sont partis avec l'ivoire, tandis que les paysans s'emparaient de la viande. Que puis-je faire ? Les sermonner ? Leur faire peur ? Avec une telle récompense, bien sûr que les paysans se réjouissent de l'abattage des éléphants. Alors que dans certains coins du pays sévit la famine, ils ont pu savourer un de leurs mets préférés pendant plusieurs jours. Je suis découragée. Comment combattre ça ? Comment les amener à penser, comme moi, que les éléphants font partie de leur patrimoine, qu'ils ont plus de valeur vivants que morts ?

Raphaël et Beri sont arrivés à leur tour et prennent quelques photos.

— On a réussi ! Les preuves sont là, dans nos appareils photo, s'exclame Raphaël.

— Oui, mais quel carnage ! Si ça se trouve, il y en a beaucoup plus que cinq qui ont été abattus, nous ne le saurons jamais. Ce ne sont pas les communautés qui vont s'en vanter, désormais.

— Ça, c'est le problème du Tchad : on a trop de frontières avec d'autres pays, on ne peut pas tout contrôler et les éléphants en font les frais.

Quelques minutes plus tard, nous empruntons tous ensemble le chemin du retour, qui, je ne le réalise que maintenant, longe la frontière camerounaise. À plusieurs reprises, nous apercevons des habitations en bois. Les pisteurs nous expliquent que des coupeurs de route y habitent. Cette information n'est pas pour me rassurer. Je demande :

— Je ne comprends pas, que font-ils entre les deux frontières ?

— Ils volent les voyageurs, kidnappent les enfants, volent le bétail... Ils se sentent protégés ici, car s'ils commettent un crime, ils n'ont qu'à traverser la frontière pour échapper aux militaires, qui n'ont pas le droit de passer d'un pays à l'autre.

Tout en marchant, je songe au chef de village, en prison à Pala en attendant d'être jugé. Je veux désormais l'interroger sur les braconniers qui fréquentent cette zone. Raphaël me tire de mes pensées :

— Madame la présidente, on ne peut pas rentrer à pied. On va y passer la nuit, c'est trop dangereux ! Partez avec le Zaghawa à moto, il reviendra nous chercher.

Je ne suis pas convaincue que nous séparer est une bonne idée, mais il insiste tellement que je finis par céder. Un des pisteurs nous explique qu'on peut couper en allant toujours tout droit. Nous prenons la route sans tarder. Au bout d'une heure, la nuit est tombée et nous n'avons toujours pas trouvé le village. Il faut nous rendre à l'évidence : nous sommes perdus. Adoum Sabre – c'est le nom du militaire – coupe le moteur et me dit :

— On est perdus. En plus, j'ai vu des traces fraîches de coupeurs de route. Si on continue à moto, ils vont nous trouver, on doit se cacher.

— Se cacher où ?

— Derrière les buissons. Il faut éviter de faire le moindre bruit maintenant, sois prudente.

À vrai dire, je ne pense qu'à une chose : boire. Et impossible de remettre la main sur ma bouteille d'eau.

— Adoum, on a perdu l'eau !

— Ne t'inquiète pas pour ça, il y a des troupeaux de bœufs dans le coin. On va trouver du lait.

Je l'observe écouter les bruits alentour. Personnellement, je ne perçois que le bruit du vent dans les arbres. Inquiète, je lui demande :

— Tu entends quoi ?

— Les bœufs se dirigent vers nous. Viens, on va boire du lait !

Nous parcourons quelques dizaines de mètres avant d'apercevoir le fameux troupeau. Il est gardé par un jeune bouvier à l'air très pauvre. Pourtant, après un bref échange, il nous offre sa natte et une calebasse de lait de vache. J'aurais voulu le rémunérer et le remercier, mais le jeune homme providentiel et ses bœufs ont déjà disparu dans la nuit noire.

— Pourquoi est-il parti si vite ?

— Il a eu peur de mon arme. Bois !

Je ne me fais par prier ; je trempe mes lèvres dans la calebasse de lait et avale une gorgée de lait encore chaud. Je suis épuisée, je m'allonge sur la natte. Adoum aussi, tout en continuant à surveiller les alentours. Son doigt est posé sur la gâchette, prêt à dégainer. À plusieurs reprises, il se redresse vivement.

— Que se passe-t-il ?

— Chut ! J'entends des hommes marcher pas loin.

— Tu crois qu'on va mourir ?

— Non, je ne pense pas, mais si c'est le cas, c'est que Dieu l'aura voulu. Il ne faut pas avoir peur.

Je ne suis pas rassurée, j'ai peur ! Je prends conscience des dangers de cette forêt qui a été fatale à ce groupe d'éléphants et qui risque de m'être fatale à mon tour. C'est dans la logique de choses. Les hommes qui marchent autour de nous sont des coupeurs de route, des bandits surarmés qui braquent les voyageurs et bien souvent les tuent. S'ils nous repèrent, nous sommes finis. Je tente tant bien que mal de garder mon calme.

— C'est bon, ils sont partis, me rassure Adoum, qui ne relâche pas sa vigilance. Je suis un militaire, je vais veiller, c'est mon métier. Toi, tu peux dormir.

Je trouve Adoum vraiment sympathique. Il m'intrigue.

— Où vis-tu, Adoum ?

— J'ai passé plusieurs années au palais, dans la garde présidentielle, avant de rejoindre mon oncle dans la rébellion. J'ai vécu plusieurs années dans le maquis. On combattait Idriss Déby !

Je suis subitement effrayée.

— Quoi ? Tu es un rebelle ?

— Mon oncle et moi avons combattu, oui. Maintenant, je suis dans la légalité, j'ai réintégré l'armée tchadienne, mais pas encore à N'Djamena, en brousse pour l'instant.

— Et ça te plaît de vivre en brousse ?

— Non, j'espère rejoindre bientôt ma femme et mon fils à N'Djamena. Mais pour l'instant, ils ont peur de nous au palais, ils nous voient encore comme des rebelles.

— Pourquoi as-tu combattu le président après avoir travaillé pour lui tant d'années ?

— Le président Idriss Déby est mon parent, je suis le neveu d'Abbas Tolli. J'ai tout simplement suivi mon oncle.

Je ne connais pas personnellement Abbas Tolli. Je sais en tout cas que c'est un homme politique très respecté au Tchad. Adoum doit lire la stupéfaction sur mon visage, car il ajoute :

— Ne t'inquiète pas, ces histoires de rébellion, ce sont nos histoires de famille à nous, gars du Nord. Celui qui n'est pas dedans est incapable de comprendre.

Je ne peux m'empêcher tout de même de lui faire la morale :

— Adoum, quelle erreur tu as faite ! Tu avais un poste super à la présidence, un parent chef de l'État, tu as tout perdu maintenant ! Je suis vraiment désolée, j'espère que ça va s'arranger.

Tout en restant vigilant, allongé sur la natte, il me pose à son tour une question :

— Penses-tu que je sois quelqu'un de bon ?

— Oui, je crois. Pourquoi ?

— Imagine que je veuille te tuer. Personne ne saurait jamais ce qui s'est passé…

Je me redresse brusquement, plus effrayée que jamais.

— Pourquoi tu dis ça ?

— Chut, on va nous repérer et là, on va tous les deux être tués, me répond-il en souriant. Moi je suis quelqu'un de bon, mais ce n'est pas le cas de tout le monde au Tchad. Tu aurais pu te faire kidnapper ! Ne repars plus jamais seule en brousse avec quelqu'un que tu ne connais pas, c'est dangereux !

— Merci, Adoum, je ferai attention, lui dis-je en poussant un soupir de soulagement. Tu crois que les autres sont rentrés au village ?

— Non, je ne pense pas. Ils doivent attendre le lever du jour, comme nous. Mais ce n'était pas prudent que tu restes avec le groupe de toute façon, ils sont nombreux et donc facilement repérables. Mais à mon avis, s'ils croisent les coupeurs de route, il ne se passera rien, ils sont trop pauvres. Toi, c'est sûr, ils t'auraient kidnappée et auraient réclamé une rançon. Tu es blanche, il n'y en a pas ici !

— C'est pour ça que tu m'as emmenée sur la moto ? Tu savais que nous ne rentrerions pas au village ce soir ?

— On avait une chance de rentrer, mais je me doutais bien qu'on devrait passer la nuit en brousse.

Au lever du jour, je me réveille les membres endoloris. Adoum n'est plus sur la natte, il est agenouillé quelques mètres plus loin. Il prie, le corps tourné vers La Mecque. Je bois une gorgée du lait de la veille, tandis qu'Adoum se dirige vers moi.

— Allez, viens ! On récupère la moto et on part.

Nous abandonnons la natte et la calebasse et nous mettons en route. Je fais entièrement confiance à Adoum, nous allons retrouver le village. Au bout d'une demi-heure, nous arrivons à un chemin de pierre. Il y a des traces de pas. Quelques minutes plus tard, nous rencontrons un villageois. Je suis tout excitée à l'idée de rentrer prendre une douche et revoir mon équipe. Je me suis inquiétée pour eux.

Le premier homme que nous croisons est le sous-préfet.

— Ah, madame la présidente ! Je n'ai pas dormi de la nuit tellement j'étais anxieux.

— Tout va bien, nous nous sommes juste un peu perdus dans la brousse.

— Nous attendions le lever du soleil pour partir à votre recherche. J'ai envoyé hier un émissaire signaler votre disparition à Pala.

— Rassurez-vous, je vais très bien. Et le militaire qui m'accompagnait n'y est pas pour rien. Il a été exemplaire.

Je ferai par la suite tout ce qui est en mon pouvoir pour qu'Adoum soit affecté à N'Djamena et rejoigne enfin son épouse après un exil de plusieurs années.

Je regarde autour de moi et ne trouve nulle trace de Raphaël, ni de Beri.

— Monsieur le sous-préfet, les membres de mon équipe ne sont donc pas revenus ?

— Non, je pensais qu'ils étaient avec vous.

— On s'est perdus de vue à la tombée de la nuit.

Au moment même où je prononce ces paroles, je les vois débarquer dans le village, sales, apparemment très fatigués, et néanmoins souriants.

— Oh là là, quelle aventure ! Plus jamais je ne ferai ça, même pour des millions, s'écrie Beri.

Heureux de nous retrouver et affamés, nous dégustons tous ensemble une délicieuse soupe de poisson cuisinée la veille, puis reprenons la route. Dès que le réseau est de nouveau accessible, mon téléphone se met à sonner. Je reconnais le numéro du gouverneur de Pala.

— Oui, monsieur le gouverneur ?

— Dieu soit loué, vous êtes vivante ! Je viens juste de joindre le ministre de la Défense, qui s'apprêtait à envoyer des hélicoptères à votre recherche. Nous étions extrêmement inquiets !

— Je suis désolée. Nous arrivons bientôt à Pala, je vous raconterai tout.

— Ne vous arrêtez pas en route, déposez rapidement le sous-préfet et l'escorte ; je vous attends, madame la présidente de SOS Éléphants.

À Pala, le gouverneur m'attend effectivement chez lui, avec ses collaborateurs et le procureur. Je leur montre les photos.

— Si ce n'est pas malheureux ! Un tel patrimoine ! Il faut absolument sécuriser nos frontières avec des troupes à cheval, martèle le gouverneur.

Il a raison. Comme les voitures ne peuvent pénétrer dans la forêt, les braconniers et les coupeurs de route se servent de la zone comme d'une base arrière, particulièrement dans ce département du Tchad. Mon téléphone sonne. C'est le colonel Bassi.

— Take, on vient d'arriver à Pala. On doit voir les deux complices de braconniers arrêtés dans le village où tu es allée, me dit-il.

Je saute sur l'occasion :

— Colonel, je veux les interroger aussi !

— Viens à la prison à quatorze heures.

Le procureur, qui a entendu notre conversation, ajoute :

— Je vais me joindre à vous. J'ai besoin de les entendre. Les familles des prévenus exercent une telle pression sur mes collaborateurs et moi !

Je le dévisage un instant. Son regard est franc et honnête.

— Monsieur le procureur, vous sentez-vous menacé ?

— Je suis habitué, vous savez. La cause que vous défendez est noble. Moi aussi, je suis un environnementaliste.

Le gouverneur, qui a suivi notre échange, tout en continuant à donner des instructions à ses collaborateurs pour gérer les affaires courantes de la région, s'exclame :

— À Pala, dans mon fief, la loi, c'est la loi ! Gare à celui qui ne la respecte pas !

À quatorze heures, je me présente comme convenu dans la cour de la prison, accompagnée du procureur, de Raphaël et de Beri. Le colonel Bassi nous rejoint rapidement. Les deux complices sont escortés jusqu'à nous par les gardes de la prison. Le procureur les invite à s'asseoir par terre, alors que nous siégeons sur des banquettes en bois. Les deux détenus ne ressemblent en rien à des tueurs de grands chemins. Ce sont juste de modestes villageois. Le chef de village s'appelle Jean Ndil et son neveu Denis Aher. Je commence par Jean Ndil :

— Monsieur le chef de village, via mon organisation, SOS Éléphants, je représente les intérêts des éléphants au Tchad.

Il baisse la tête, honteusement, au moment où je prononce le mot « éléphant », puis la redresse. Il est terrorisé, je le sens. Son avenir proche dépend entièrement de cet entretien. Mais je n'ai pas le choix, je dois rester sévère.

— Jean, pourquoi avez-vous demandé à votre neveu de conduire ces cinq braconniers au cours d'eau des éléphants ?

— Je ne savais pas qu'ils voulaient tuer les éléphants. Ils étaient armés, il a fallu leur obéir.

— Comment ça, tu ne savais pas ? Tu les as menés directement aux éléphants, intervient brusquement le colonel Bassi.

— T'ont-ils donné de l'argent pour que tu envoies ton neveu comme pisteur ? coupe alors le procureur.

Il répond par la négative d'un signe de tête. Beri prend alors la parole.

— Je ne comprends pas : s'ils t'ont forcé, pourquoi as-tu gardé leur cheval chez toi pendant qu'ils étaient partis ?

— Parce qu'ils m'y ont forcé ! J'avais peur !

— Ils ne sont jamais revenus et tu as gardé ce cheval pour toi. Ils t'ont payé avec un cheval ! s'exclame le colonel Bassi.

— Et pourquoi, pendant qu'ils étaient en brousse, n'as-tu pas prévenu les secours ? Les militaires auraient pu venir les arrêter, dis-je.

— Vous savez que la loi interdit qu'on tue les éléphants ? continue le procureur.

C'est Denis qui répond :

— Je n'ai rien fait. J'ai simplement laissé les braconniers tuer les éléphants !

— Tu les connaissais bien, ces éléphants ? dis-je.

— Oui, ils venaient tous les soirs boire dans la rivière.

— Et est-ce que tu as vu les braconniers tirer sur les éléphants et leur couper la tête ?

Il ne répond pas et baisse les yeux. Le colonel Bassi semble de plus en plus agacé.

— Vous savez qu'il est interdit de tuer les éléphants au Tchad ?

Les deux hommes courbent de nouveau la tête. Manifestement, il y a quelques incohérences dans leur récit. Le chef de village et son neveu semblent avoir prêté main-forte aux braconniers en échange d'un cheval et d'un peu d'argent. En les observant, je me dis qu'il faut être clément, ils ont l'air ignorants. En même temps, si nous ne sommes pas sévères, cette complicité entre braconniers et communautés mènera à l'extinction définitive des éléphants du pays.

Ces derniers mois, j'ai acquis la conviction que, dans la majeure partie des cas, les braconniers ont demandé aux communautés riveraines de les conduire auprès des éléphants. Sans cette complicité, ils resteraient plus longtemps en brousse et finiraient par être dénoncés. Il faut impérativement que ces ententes cessent. Les deux villageois sont des notables connus dans toute la région, je sais que leur condamnation ne passera pas inaperçue. Fort de notre appui, le procureur prononce sa sentence le lendemain au tribunal de Pala :

— Douze mois de prison ferme pour Jean Ndil et Denis Aher, deux cent cinquante mille francs CFA d'amende et deux millions de francs CFA de dommages et intérêts pour complicité de braconnage, conformément à la loi 14/PR/2008 déterminant le régime de conservation et de gestion durable des forêts, de la faune et des ressources halieutiques.

Nous quittons Pala l'après-midi même, remerciant le gouverneur, ses collaborateurs et le procureur. Le lendemain, toutes les radios, tous les journaux du Tchad font état de la condamnation du chef de village. Avons-nous été trop sévères ? Est-ce une injustice que d'avoir condamné ces villageois qui n'avaient probablement pas mesuré les conséquences de leur geste et qui ignoraient vraisemblablement la loi du pays ? Je me suis posé maintes fois ces questions. Néanmoins, grâce à cette condamnation, la rumeur s'est répandue à toute vitesse dans les hameaux du Tchad : si les villageois aident les braconniers à localiser les éléphants, ils iront en prison.

11

Amma Fils

En juin 2009, alors que la saison des pluies tarde à arriver et que la chaleur est suffocante, j'apprends par un ami tchadien, qui procède au recensement administratif dans le département du Mayo-Lémié, qu'un bébé éléphant traîne seul loin du troupeau depuis la veille à côté du village de Bogotoli, situé à cent cinquante kilomètres de N'Djamena. Les villageois ne savent apparemment pas quoi en faire. Je demande à mon ami d'abandonner quelques heures son activité de recensement pour rejoindre le village et exiger que le bébé éléphant soit protégé.

— Toi et tes éléphants ! Tu ne me laisses pas le choix, si je comprends bien ? me dit-il en riant.

Tandis qu'il se met en route, je contacte tout ce que la planète compte de spécialistes en éléphants afin de connaître le régime alimentaire d'un bébé éléphant. Je sais déjà que leurs estomacs fragiles ne supportent pas le lait de vache, et c'est un vétérinaire de la faune sauvage qui me fournit finalement la formule à la mi-journée. Je dois acheter du lait pour bébé en pharmacie et nous sommes dimanche ! Quelques coups de téléphone et je fais ouvrir d'urgence la pharmacie centrale pour m'approvisionner en lait. La propriétaire sait que c'est pour SOS Éléphants et elle m'aide tout de suite. Vers quinze heures, mon téléphone sonne. Je suis mise en contact avec le chef de village.

— Bonjour, c'est Amma Fils, la présidente de SOS Éléphants. Tu as le bébé éléphant avec toi au village ?

— Oui, présidente. C'est une vieille qui l'a trouvé, elle le surveille depuis hier. Elle lui a donné de l'eau.

Je lui transmets tous les conseils que je viens de recevoir des spécialistes :

— Peux-tu lui demander d'arroser la peau du bébé régulièrement avec de l'eau ? Et qu'elle continue à lui offrir de l'eau à boire. Pas de lait de vache, chef, pas de lait de vache !

— D'accord. Nous vous attendons, présidente.

Malheureusement, il est trop tard pour partir. Toutes les deux heures, j'appelle le chef pour connaître l'état de santé de l'éléphanteau. Il va bien, la « maman » du village suit scrupuleusement mes conseils. D'après ce que me dit le chef, le bébé est plus vif que la veille. Il retrouve des forces et se balade dans le village. La maman, pour éviter de le perdre, l'a accroché avec une corde autour du pied. Je dois partir à l'aube avec mon équipe pour les rejoindre. Vers vingt-deux heures, le chef de village m'appelle, affolé. Il me dit que le bébé hurle dans le village et qu'on peut entendre, tout près du village, les barrissements d'un troupeau.

— Décroche vite le bébé et laisse-le aller vers le troupeau. Si ce sont ses parents, ils vont le récupérer, dis-je précipitamment au chef. S'ils le trouvent attaché, ils vont tout casser dans le village par colère ! Ils doivent comprendre que vous avez sauvé le bébé, pas que vous l'avez mis en captivité.

Je sais depuis toujours que les éléphants sont d'une intelligence extrême et qu'ils se vengent s'ils perçoivent que l'on fait du mal à un de leurs congénères, de surcroît si c'est un éléphanteau. Mon équipe et moi, nous sommes les « gentils », ceux qui ont décidé de les aider quel qu'en soit le prix.

Tout naturellement, vers vingt-trois heures, le troupeau débarque dans le village et repart avec le bébé sans avoir causé le moindre dégât.

Le lendemain, même si l'éléphanteau a rejoint les siens, nous nous rendons au village. Je tiens à remercier le chef pour tout ce qu'il a fait. En chemin, nous achetons des pagnes pour les femmes du village, ainsi que des denrées alimentaires, et les leur offrons à notre arrivée. Nous passons la journée à écouter les récits de la vieille maman.

— J'ai perdu mes deux enfants, alors quand j'ai vu l'éléphanteau perdu, j'ai pensé que c'était Dieu qui me l'envoyait et je m'en suis occupée ; un enfant c'est un enfant ! Il a besoin de soins et de protection ! Pour moi, ce n'est pas important qu'il soit homme ou éléphant !

En la quittant, je serre fortement cette femme d'une extrême bonté dans mes bras. Ce sont les membres de mon équipe qui décident alors de l'appeler « Maman éléphant ». Le soir, le sous-préfet nous héberge à Nanguigoto. Nous discutons une bonne partie de la soirée, notamment des éléphants qui détruisent les récoltes. Il y a beaucoup de pachydermes dans cette région, et les autorités centrales de N'Djamena en charge de la faune sauvage semblent ne pas s'y intéresser. Je réalise que le seul et unique moyen de surveiller cette zone et ses éléphants, et de les protéger contre les braconniers, c'est de faire participer les communautés riveraines aux mécanismes de surveillance. Les interventions de l'armée, ma structure SOS Éléphants ou les autorités administratives peuvent s'en occuper s'il y a une menace identifiée. Je suis consciente aussi que la mise en place de ce dispositif – pour qu'il soit totalement efficace – nécessite des moyens très importants que SOS Éléphants n'a pas, mais je ne désespère pas d'obtenir un jour de l'aide, peut-être de la communauté internationale, si l'État tchadien nous tourne le dos.

Avec Savi, le petit éléphant que j'ai recueilli après un braconnage.

Ces éléphants du Mayo-Lémié vivent quasiment
en permanence sur mon site, car ils se sentent
en sécurité. Mon équipe est là et les surveille
avec les communautés.

... ors de mon passage à Nairobi pour demander ... e l'aide à Daphné Sheldrick, qui depuis 40 ans ... monté l'un des rares orphelinats pour bébés ... léphants.

J'essaie de sauver Tom dans le village de Béré, au Mayo-Lémié. Il déprime alors que ses parents ont été braconnés, et la seule chose qui le réjouit est de jouer avec de l'eau.

Savi et Josephat, que j'ai fait venir du Kenya
en 2010 pour s'en occuper.

Savi s'amuse avec ma tente pendant que je s
à l'intérieur : elle veut que je lui donne du la

Grâce au soutien de Brigitte Bardot, fin 2011, nous avons commencé à construire plusieurs cases et une petite école dans le Mayo-Lémié. Je veux que les communautés comprennent que les éléphants sont porteurs de richesses.

En compagnie de la Brigade mobile de protection de l'environnement, que je sollicite beaucoup pour chasser les braconniers.

La méthode piment doit permettre aux paysa. de protéger leurs récoltes des éléphants.

Avec le puissant Sultan du Chari Baguirmi,
en campagne de sensibilisation
après un braconnage.

À la fin d'une séance de formation,
nous remettons des diplômes à tous les paysans
de la communauté. Je veux qu'ils apprennent
à protéger leurs récoltes de manière non offensive
pour les éléphants.

Au pied d'une carcasse d'éléphant, dans le Chari Baguirmi Laba.

Après un braconnage dans le Mayo-Lémié. Je suis effondrée.

12

Traîtrise

En juillet 2009, alors que j'ai profité de la saison des pluies au Tchad pour suivre en France un séminaire de quelques semaines sur les droits de l'homme à Strasbourg, Raphaël m'appelle et m'annonce qu'une épidémie d'anthrax sévit au parc de Zakouma. Il est fréquent de trouver la bactérie de l'anthrax dans les endroits où vit la faune sauvage, à cause du mécanisme de putréfaction des carcasses. Il faut surveiller l'évolution de l'épidémie de très près, afin d'éviter qu'elle ne se propage aux cours d'eau, puis aux humains. Je demande à Raphaël de se renseigner et d'obtenir des informations plus précises de son oncle, le directeur des parcs nationaux. Le lendemain, comme prévu, il me rappelle :

— Ils ne prennent absolument pas ça au sérieux ! Il y a une menace réelle sur la faune du parc, plusieurs carcasses suspectes ont déjà été retrouvées et elles n'ont même pas été enterrées.

À vrai dire, mon équipe et moi-même n'intervenons presque jamais au parc de Zakouma, notamment à cause de ma querelle avec le chef de la délégation qui, à plusieurs reprises, m'en a interdit l'accès. Je me dis aussi que le parc a suffisamment de ressources humaines pour prendre les mesures qui s'imposent, que ce soit en matière de braconnage ou de contrôle sanitaire. Raphaël insiste :

— Stéph, la situation est très grave. Le parc et sa population courent un énorme danger, je le sais de source sûre.

SOS Éléphants est une ONG nationale, on ne peut pas ignorer ce qui se passe, même si c'est une aire protégée qui a ses propres moyens.

Il a raison, bien sûr. Nous prenons la décision d'alerter les autorités en diffusant un communiqué intitulé : « Alerte à l'anthrax dans le parc de Zakouma », dans lequel nous exigeons que les services compétents effectuent sans tarder un contrôle sanitaire. Le communiqué est repris dès le lendemain par le site de la présidence de la République et par d'autres médias du pays. On ne parle plus que de ça. Les directions du ministère de l'Environnement sont furieuses, à commencer par le ministre lui-même, mais aussi la direction des parcs, les hauts cadres du ministère, le personnel du parc de Zakouma et le chef de la délégation de l'Union européenne, qui saisit une fois de plus cette opportunité pour me dénigrer. Raphaël me tient au courant régulièrement :

— Ils me mettent une pression monstre, ils veulent que SOS Éléphants fasse un démenti. Cette histoire les embête énormément ! Mais la bonne nouvelle, c'est qu'ils sont en train de procéder à une enquête avec leurs services sanitaires.

— L'important, c'est qu'ils aient réagi, on se moque des rumeurs.

Pour essayer de détendre l'atmosphère, je téléphone au directeur des parcs, Daboulaye, l'oncle de Raphaël. Quelques semaines plus tôt, le colonel Bassi avait voulu arrêter Daboulaye pour une histoire de permis de chasse mal délivré et j'étais intervenue. Il peut peut-être à son tour nous aider en calmant la tension qui règne entre le ministère de l'Environnement et SOS Éléphants.

Je suis à Strasbourg, je n'ai aucun moyen de vérifier l'information de Raphaël – en qui j'ai entièrement confiance. Il est tout à fait possible que les employés du parc de Zakouma aient fait preuve de négligence et qu'ils aient été couverts par leur direction, mais il faut aussi envisager que Raphaël ait été berné par ses sources de renseignements, ce qui voudrait dire que SOS Éléphants a été victime d'un coup monté. Nous avons acquis une forte notoriété ces dernières années ; nous dérangeons probablement beaucoup de gens en fourrant notre nez partout, surtout en brousse où nous tentons d'arrêter le trafic d'ivoire, mais aussi lorsque nous dénonçons les scandales liés à l'environnement, comme la coupe du bois intensive. Protéger les éléphants, c'est aussi protéger leur habitat.

En quinze ans, vingt mille éléphants ont été tués au Tchad. Je me doute bien qu'ils ne l'ont pas tous été par des étrangers à cheval, d'autant plus que, en enquêtant dans la sous-région d'Afrique centrale, au Congo-Brazzaville par exemple, j'ai appris que plus de la moitié des trafiquants d'ivoire y sont de nationalité tchadienne. Et je me demande vraiment quels liens ces Tchadiens entretiennent avec certaines des autorités du pays. Compte tenu du marché juteux du trafic d'ivoire, tout est possible. Je suis convaincue que certains des trafiquants d'ivoire circulent sur le territoire avec des laissez-passer, ce qui leur évite la fouille des véhicules et les saisies. Vu l'incident qui vient de se produire, je suis tentée de revenir d'urgence au Tchad. Mais lors de notre conversation téléphonique, le vieux directeur des parcs, Daboulaye, me dit :

— Ne t'inquiète pas, on va arranger ça, ce n'est pas grave. Le ministère a envoyé une délégation à Zakouma, nous te tiendrons informée.

Je décide de lui faire confiance et reste encore quelques semaines à Strasbourg, avant de me rendre dans le Sud-Ouest, au bord de l'océan Atlantique, pour voir mes parents dans le fief familial. Ma maman se fait beaucoup de souci pour moi. Bien que je ne lui en aie jamais soufflé un mot, elle a compris que j'injecte mes ressources personnelles dans la protection des éléphants du Tchad sans trop penser à mon avenir, que je n'ai aucunement sécurisé. Papa, en bon scientifique, est amusé. Je ne cesse de lui répéter que, le jour où il prendra sa retraite, il faudra qu'il vienne m'aider, notamment à équiper les éléphants de micropuces électroniques qui me permettraient de mieux les surveiller où qu'ils se situent sur le territoire tchadien ou même dans la sous-région, puisque les éléphants du Tchad font des migrations régulières vers le nord du Cameroun et peut-être même en République centrafricaine. Quant à moi, je me suis bien trop investie sur ce continent africain pour penser ne serait-ce qu'un instant revenir vivre en France. Je me sens autant tchadienne que française.

Lorsque je rentre au Tchad quelques semaines plus tard, une bonne et une mauvaise nouvelle m'attendent.

La bonne nouvelle, c'est que le programme des Nations unies pour le développement au Tchad (PNUD), une des agences de l'ONU, nous alloue cinquante mille dollars pour intensifier nos activités de défense des éléphants. Nous menons deux types de missions : la lutte antibraconnage – grâce à des campagnes de sensibilisation et à la surveillance des éléphants dans leurs zones – et l'amélioration des relations hommes-éléphants. Avec cet argent, nous allons développer des programmes pour aider les communautés à prendre conscience que les éléphants sont une richesse, afin qu'elles arrêtent de participer au braconnage.

La mauvaise nouvelle, c'est que Daboulaye, le directeur des parcs, nous a trahis. Il a écrit une fiche au ministre de l'Environnement avec un avis très défavorable sur SOS Éléphants à propos de cette affaire d'anthrax. Furieuse, j'évoque le problème avec Raphaël :

— Raphaël, pourquoi a-t-il écrit cette lettre ? Ce gars-là, je lui ai évité d'avoir des problèmes sérieux avec le colonel Bassi sur ces histoires de permis de chasse mal délivrés et voilà comment il me dit merci !

— Tu sais, de toutes les façons, personne ne peut rien faire contre toi dans ce pays. C'est une manière de te décourager. Tu es sous la protection du chef de l'État, ils le savent tous, me répond-il, désolé.

— Il m'a trahie ! Je lui faisais confiance !

— Tu sais, nous, les sudistes, on est encore plus compliqués que les gens du Nord. On est très envieux. Si quelqu'un a la chance d'émerger, même ses propres parents, par jalousie, vont tout faire pour qu'il bascule.

— Quel est son intérêt ? C'est pourtant un homme intelligent.

— À travers toi, c'est moi, son parent, qu'il touche, et puis il est au courant de la bataille que le chef de la délégation de l'Union européenne et toi vous livrez, peut-être a-t-il fait un excès de zèle pour lui rendre service et t'écarter une bonne fois pour toutes ? Il prend sa retraite dans deux ans et tout le monde sait qu'il cherche à augmenter ses revenus. Il veut travailler au parc de Zakouma comme consultant en gestion des aires protégées. Il doit passer par le chef de la délégation pour ça. Comme il a compris que, financièrement, il n'a rien à tirer de toi, il a désormais toutes les raisons de nous saborder et d'offrir ses services à tes détracteurs.

Les propos de Raphaël me font de la peine, mais ils reflètent la réalité. La plupart des Tchadiens ont connu de nombreuses guerres et crises politiques. Ils ont appris à trahir, c'est un mécanisme de survie pour eux, qui leur permet de traverser les crises sans trop de dégâts. Le Tchadien va là où son intérêt le porte, sans états d'âme. Il est opportuniste.

En ce qui me concerne, je me serais bien passée d'une querelle supplémentaire au Tchad, mais je suis bien trop attachée à la survie de ses éléphants pour me laisser décourager plus de quelques minutes.

13

Libérer les corridors

En octobre 2009, Yann Arthus-Bertrand, le célèbre photographe à l'origine du film environnementaliste *Home*, me contacte. Il a entendu parler de mon combat et veut filmer SOS Éléphants sur le terrain. Vu la notoriété de Yann Arthus-Bertrand, un tel reportage ne manquerait pas de nous aider. J'envoie un plan de séquences à son assistant.

— Non, ça ne va pas, il faudrait qu'on vous voie, Yann et vous, au milieu des éléphants, plein d'éléphants.

Je lui explique que les éléphants du Tchad, contrairement à ceux d'autres pays africains de tradition touristique comme le Kenya, ont un comportement sauvage. Ils évitent la présence des humains et, lorsqu'ils ne les fuient pas, ils les chargent. Il y a eu trop de braconnage au Tchad ces dernières années, les éléphants sont traumatisés.

Face à la complexité du problème, je fais appel à notre vétérinaire, le docteur Ben, qui me suggère d'acheter du natron et d'installer une saline provisoire en brousse, vers Bogotoli, pour fidéliser les éléphants le temps du tournage. Les éléphants raffolant du sel, ils accourront. Nous passons un accord avec le chef du village de Bogotoli, ravi de nous voir bivouaquer dans sa petite localité de brousse, et disposons les sacs de natron à côté du fleuve Chari. Dès la deuxième nuit, les éléphants débarquent en nombre ; ils sont sans doute plusieurs centaines. De peur qu'ils nous chargent, nous nous tenons à l'abri, à quelques centaines de mètres, et les écoutons toute la nuit barrir et se baigner dans le fleuve. Je suis aux anges. Vers six heures du matin, le jour se lève et j'observe pendant plus d'une heure ce majestueux troupeau s'abreuver. Il y a beaucoup de bébés éléphants au milieu, bien protégés par le troupeau.

Dès que les pachydermes reprennent le chemin de la brousse, nous nous rendons à la saline. Il y a des traces de pas d'éléphants partout, et aussi leurs fameux excréments encore chauds. Ben me dit :

— Tu vois, ça a marché ! Ils sont là, présidente. Il y a des traces de trompes et de pas partout !

Je suis contente, bien sûr, et en même temps réellement inquiète pour ces malheureux éléphants dont le territoire est sans cesse rogné par les paysans. Ce jour-là, je prends vraiment conscience que les éléphants se meuvent à travers des corridors, des chemins de passage ancestraux, et la zone où je me tiens, le village de Bogotoli et ses alentours, est sur leur corridor. Je réalise que SOS Éléphants doit inscrire à ses activités la libération des corridors, de plus en plus occupés par la présence humaine. C'est une tâche colossale.

Sur le chemin du retour, je m'arrête chez le chef de canton, un parent du chef du village de Bogotoli. Il est simple, humble, les habitants lui portent un grand respect. Je n'ai entendu dire que du bien de lui. Nous nous comprenons tout de suite, nous sommes sur la même longueur d'onde.

— Monsieur le chef de canton, tant que les paysans planteront leurs récoltes sur les corridors, les éléphants les mangeront.

— Ces éléphants causent beaucoup de tracas à ma population, je suis prêt à leur demander de se déplacer. Les éléphants aussi sont des créatures de Dieu, ils ont besoin de vivre en paix.

Avant de nous quitter, nous mettons au point une stratégie. Lui doit envoyer une lettre au préfet et au sous-préfet. Dès que ces autorités administratives auront appuyé sa demande, j'en informerai le chef de l'État et les différents départements ministériels concernés.

Quant à Yann Arthus-Bertrand, il a annulé son tournage en novembre 2009 pour des raisons techniques.

Les populations tchadiennes souffrent de la présence des éléphants. Ils dévastent régulièrement les récoltes et chargent parfois les paysans alors que ces derniers voulaient les protéger. Grâce à la politique du chef de l'État, il leur est désormais impossible de porter atteinte à l'intégrité corporelle des pachydermes. Mais nous devons absolument mettre en place une politique d'accompagnement des communautés riveraines. Si nous n'aidons pas les paysans, ils ne nous viendront pas non plus en aide. Il faut leur apprendre à cohabiter pacifiquement avec les éléphants.

Je connais de plus en plus de choses sur les techniques de protection des récoltes. Je sais par exemple que les paysans peuvent protéger leurs récoltes avec du piment. Je souhaite entamer un cycle de formation. Grâce à l'aide du PNUD, nous pouvons commencer. J'ai recruté pour ce faire Laba, un inspecteur des Eaux et Forêts.

La première formation que nous prodiguons, dans le Mayo-Lémié, se déroule à merveille. Le sous-préfet a procédé à l'inauguration ainsi qu'à la clôture. Je suis extrêmement fière ! Pour le remercier, je lui remets un diplôme honorifique.

Quelques jours plus tard, le chef de canton nous attribue un champ de plusieurs hectares pour cultiver du piment. Plusieurs questions restent en suspens : comment allons-nous le mettre à la disposition de la population ? La population s'appropriera-t-elle cette méthode ? Finalement, après plusieurs heures de palabres, nous convenons que ce seront les paysans de Bogotoli qui cultiveront les champs de piments de SOS Éléphants en échange de nombreuses semences et d'une pompe à eau.

L'installation de la pompe est plutôt distrayante. C'est la première fois que les villageois observent une telle machine.

Alors quand l'eau du fleuve commence à jaillir, femmes, hommes et enfants ne peuvent s'empêcher de rire aux éclats et de jouer avec le jet d'eau. J'ose espérer tout de même qu'ils comprennent notre démarche.

Il semblerait que ce soit le cas : quelques mois plus tard, grâce aux semences que nous leur avons fournies, les paysans récoltent des courgettes, des tomates et des haricots, que les femmes du village vendent chaque jour de marché. Cette région était une des plus pauvres du Tchad et nous avons enfin réussi à créer de la richesse ! Bien sûr, ces ressources ne proviennent pas directement des éléphants, mais à chaque occasion, le chef de canton et même parfois le préfet n'hésitent pas à rappeler à la population que si elle vit mieux désormais, c'est parce que la femme blanche à la tête de SOS Éléphants veut que la population l'aide à préserver les éléphants.

Si j'ai obtenu, après tant d'efforts, le soutien de ces communautés, il faut maintenant que j'insiste auprès du gouvernement pour faire de cette région une zone protégée, en recrutant et en armant des dizaines d'écogardes. Je ne comprends pas pourquoi les conseillers techniques du ministère de l'Environnement n'en font pas l'effort. Un jour que je pose la question à l'un d'entre eux, il me répond en bon scientifique que ces éléphants ne représentent pas, au regard de la biodiversité, un intérêt particulier justifiant qu'on investisse de gros moyens pour les sauver. C'est donc pour ça que j'ai tant de mal à lever des fonds ? Parce que ces éléphants sont de simples *Loxodonta africana* (éléphants de savane) ?

Quelques mois plus tard, en pleine saison des pluies, une vague de braconnage s'abat sur la région ; plusieurs dizaines d'éléphants en sont victimes, et la région voisine du Chari-Baguirmi n'est pas épargnée. Mon enthousiasme est mis à rude épreuve. Je n'ai même pas le temps de pleurer ces éléphants, nous sommes en alerte nuit et jour. Je suis en colère contre ces conseils scientifiques qui orientent les gros bailleurs de fonds afin de mettre en place des programmes pour la biodiversité. J'en veux à l'entourage du chef de l'État de ne pas lui dire la vérité sur la situation réelle du braconnage dans son pays. J'en veux à la communauté internationale, qui estime que subventionner une ONG au Tchad ce n'est pas approprié, compte tenu du fort taux de corruption. J'en veux enfin aux experts qui me disent qu'on ne peut pas injecter de l'argent pour préserver les éléphants dans une zone non protégée.

Quant aux communautés avec lesquelles nous sommes désormais en contact permanent grâce à nos différents projets, elles surveillent les éléphants et la présence des braconniers du mieux qu'elles peuvent. Leurs membres baissent la tête quand ils me voient arriver près des carcasses. Je pense sincèrement qu'ils sont touchés eux aussi.

Sur le chemin du retour, le préfet, que je viens de rejoindre à Guelendeng, m'invite chez un de ses administrés, dans une propriété vinicole qui longe le fleuve. Le fermier s'appelle El Hadj Choukoun. Il possède des arbres fruitiers, qu'il a plantés le long du fleuve. Les éléphants sont passés la nuit dernière dans ses vergers et ont tout saccagé, les manguiers, les citronniers, les bananiers… Il ne reste plus rien.

— Ça fait huit ans que je m'occupe de ces arbres, que je les arrose, que je les taille, et voilà ce que les éléphants ont fait, gémit El Hadj.

— Vous voyez, madame la présidente, vos éléphants gênent mes administrés. Ils bouffent tout. Chez les fermiers des alentours, c'est pareil, ajoute le préfet. Il faut que vous en parliez au chef de l'État, vous qui êtes dans ses petits papiers. Nos populations souffrent, madame la présidente, on ne peut pas les laisser comme ça. C'est vous la présidente de SOS Éléphants, trouvez des solutions, indemnisez ces malheureux paysans ! m'exhorte le préfet.

La population se tourne vers SOS Éléphants pour être indemnisée parce que l'État ne les écoute pas. Or, sauf à faire voter une loi d'indemnisation, nous n'avons aucuns moyens.

Dès que j'arrive à N'Djamena, je diffuse un communiqué de presse demandant à ce que l'État indemnise les victimes des éléphants. Une fois encore, les médias reprennent l'information. La population réagit, mais les autorités restent muettes.

Vers vingt et une heures, alors que les rues de N'Djamena se vident, je décide de rendre visite à Halime Déby. Elle est devenue très casanière depuis qu'elle a été supplantée par Hinda ; je suis donc certaine de la trouver chez elle. J'arrive alors qu'elle vient juste de regarder le journal télévisé.

— Toi et tes éléphants, alors ! Le Tchad ne parle que de toi. C'est bien, ma fille, me dit-elle en riant.

Halime sait que je connais son époux, mais elle n'a jamais eu la moindre pointe de jalousie à mon égard. Sa maison m'est grande ouverte et je me sens en sécurité chez elle.

Le lendemain, on me met en contact avec une des seules femmes à un poste important au ministère de l'Environnement. Elle aussi a soulevé le problème de l'indemnisation des paysans suite aux dommages occasionnés par les éléphants. Saglar est âgée d'une cinquantaine d'années et parle d'une grosse voix grave. Quand j'évoque le dossier de l'indemnisation des paysans, elle me dit en levant les yeux au ciel :

— Ah, ma pauvre, si vous saviez comme j'ai insisté ! Il n'y a rien à faire, ils ne veulent pas, ils disent que c'est trop compliqué à mettre en place. Mais je crois plutôt que, une fois nommés à l'Administration centrale à N'Djamena, nos hauts fonctionnaires oublient les problèmes des campagnes.

— Qu'est-ce qui les dérange dans cette loi ? On protégera mieux les éléphants si les paysans sont avec nous !

— C'est le Tchad. En tout cas, si vous y arrivez, je suis avec vous. Mais je vous préviens, les gens du ministère m'ont forcée à reculer. J'espère que vous aurez plus de succès.

Quand je lui dis au revoir, Saglar ajoute :

— Vous, au moins, vous vous battez pour le Tchad ! Peu de gens savent à quel point la survie de ces pachydermes est importante. Je vous remercie du fond du cœur.

Elle m'embrasse chaleureusement. C'est sûr, avec elle, j'ai au moins un soutien au ministère de l'Environnement. Je dois désormais courtiser les députés et, un à un, les rallier à ma cause. Nous invitons à dîner tous ceux originaires de régions où les éléphants sont présents. Et, bonne surprise, notre discours reçoit chaque fois un accueil favorable. Nous sommes probablement en train d'opérer un changement d'attitude et, je l'espère, de cadre légal.

En janvier 2010, un ami français qui tient un restaurant érythréen à N'Djamena m'appelle et me demande de passer de toute urgence. Le plus grand chef traditionnel de la communauté des Moundang, le Gong de Léré, vient dîner chez lui et il souhaite me le présenter.

Quand j'arrive, le Gong est à table avec des collaborateurs et des parents.

— Prenez donc place à ma table. Je suis heureux de vous rencontrer. On m'a parlé de vous et j'aime ce que vous faites, me dit-il. Je préside demain l'assemblée des chefs traditionnels du Tchad. Chaque année, nous invitons une personnalité de marque. J'aimerais que ce soit vous ; venez présenter SOS Éléphants aux chefs traditionnels du Tchad. Vous comprenez, les dommages faits aux récoltes par les éléphants, les paysans ne parlent que de ça en ce moment.

— Majesté, cette proposition m'honore, je viendrai.

Le lendemain, quand le Gong annonce que je vais faire un exposé, tous les chefs traditionnels se lèvent et applaudissent. Ils sont plus d'une centaine dans ce grand amphithéâtre et la presse couvre la manifestation. Je n'ai pas le droit de faillir, mon discours doit être parfait. Je me lance :

— Ces vingt dernières années, on estime que plus de vingt mille éléphants ont été exterminés au Tchad. Ils sont en voie d'extinction ! Nous avons besoin de votre soutien pour combattre les braconniers partout où ils se trouvent. Ne laissez pas disparaître les éléphants du Tchad, venez-leur en aide ! Venons-leur tous en aide !

Le Gong de Léré semble très content de ma communication et les chefs traditionnels m'applaudissent pendant plus d'une minute. Arrivent ensuite les questions :

— Madame la présidente, nous voulons bien protéger les éléphants, mais vos éléphants sont des tueurs : ils mangent nos récoltes et tuent la population ! Alors c'est vous désormais que je tiens pour responsable, commence le chef traditionnel de la région de Cikem. Il y a quelques heures à peine, un éléphant a massacré un de mes paysans alors qu'il labourait son champ. Il l'a soulevé avec sa trompe puis l'a violemment projeté contre un arbre. Ensuite, comme si ça ne suffisait pas, l'éléphant a éloigné le corps du mourant des arbres et s'est couché sur lui jusqu'à lui casser un à un les os. Quelle est cette espèce que vous défendez, madame la présidente ? C'est à vous que nous allons demander des comptes désormais ! Remboursez nos récoltes, payez la scolarité des orphelins...

— Monsieur le chef traditionnel, je vous prie d'accepter mes sincères condoléances, en mon nom et en celui de mon équipe.

— Et l'indemnisation ?

— Sachez que les éléphants ont ce type de comportement violent quand ils sont agressés. Ils se mettent très en colère quand des membres de leurs familles sont abattus et ils se vengent. Les éléphants se souviennent de tout, et si quelqu'un cherche à leur faire du mal, ils se rappelleront cette personne grâce à son odeur et s'en prendront violemment à elle tôt ou tard.

— On dirait un comportement humain, ce que vous nous décrivez là, intervient un autre chef.

Le chef traditionnel de Cikem semble gêné.

Libérer les corridors

— On ne nous avait jamais informés que les éléphants se vengeaient. Pourquoi ne nous l'avez-vous pas dit plus tôt ? On aurait évité beaucoup de morts.

— N'agressez plus les éléphants, monsieur le chef traditionnel, et ils n'agresseront plus votre population.

14

Les tueries du Chari-Baguirmi

Depuis que les Chinois sont installés dans la région du Chari-Baguirmi, de l'autre côté de notre camp, et construisent la raffinerie qui alimentera N'Djamena en pétrole, mes indicateurs ont découvert que les employés de la Compagnie nationale des pétroles chinois (CNPC) passent des commandes d'ivoire pour le rapporter chez eux. Je vois donc d'un très mauvais œil l'installation de ces centaines de Chinois dans la sous-région où vivent justement les troupeaux d'éléphants.

Vers la fin de l'année 2009, mes mêmes sources de renseignements m'avaient alertée au sujet de braconnages importants dans le Chari-Baguirmi, plus précisément dans le village de Massenya. Je téléphone au directeur des parcs, avec lequel, malgré mon ressentiment, je suis bien obligée de travailler.

— Que se passe-t-il dans ce département, monsieur Daboulaye ?

— Rien, que je sache. Et de toute façon, s'il y a effectivement des hommes armés dans ces sous-bois, il est donc très dangereux de s'y rendre.

Une fois encore je déplore son inertie. Trois jours plus tard, d'autres sources de renseignements me confirment la présence des carcasses. Le soir même, Raphaël me dit que son oncle a tenu à le rencontrer pour nous dissuader d'aller dans le Chari-Baguirmi.

— Pense-t-il qu'il y a des carcasses ou non ?

— À mon avis oui, mais il ne semble pas très favorable à ce qu'on mette notre grain de sel dans cette région, me répond Raphaël après un moment d'hésitation.

— Alors il y a des troupeaux d'éléphants qui n'ont pas droit à la sécurité dans ce pays ? C'est quoi, ces éléphants, une réserve gardée pour les acheteurs d'ivoire ?

J'étais de plus en plus en colère :

— Raphaël, je ne suis pas contente du tout.

— On ne sait pas, mais c'est vrai que les communautés disent qu'il y a des carcasses.

Compte tenu de la gravité de la situation, nous décidons de partir sur le terrain en urgence, avec le pick-up qui vient tout juste de nous être alloué par une entreprise française, ICS. Sur la route, nous sommes arrêtés à un premier poste de contrôle dans une petite ville du nom de Dourbali. Les militaires veulent savoir qui nous sommes et où nous allons. Je leur explique que je suis la présidente de SOS Éléphants et que nous nous rendons à Massenya pour une visite de terrain. Juste derrière nous, un camion surchargé de bois arrive au poste. J'observe attentivement la cargaison.

— Raphaël, regarde, c'est du bois frais, ça ! Je croyais que la coupe de bois vert était interdite !

— Tout le monde sait qu'il y a encore de la coupe de bois vert au Tchad. Le trafic est très bien organisé, me dit Raphaël en haussant les épaules.

— Comment est-ce possible avec les contrôles de la brigade mobile et la politique du chef de l'État ?

Je pense au chef de l'État et à sa politique environnementale, à la grande muraille verte dont il est si fier et dont il fait la promotion. Comment des gens peuvent-ils encore couper le bois vert dans ce pays, un des plus menacés au monde par la désertification et les changements climatiques ?

Raphaël, encore une fois, lit dans mes pensées.

— Tu sais, Stéph, le PR ne peut pas être au courant, je suis sûr et certain qu'il serait très fâché s'il savait. Ce sont des parents éloignés qui se servent de son nom pour faire du business.

Raphaël a sans doute raison. Il est impossible que tout ce bois soit transporté à N'Djamena sans que les postes de contrôle de Dourbali en soient informés. C'est un trafic comme les autres, fait de complicités et de pots-de-vin.

À Massenya, nous nous rendons immédiatement chez le préfet, qui convoque l'inspecteur des Eaux et Forêts. Je suis anxieuse, je pressens que les nouvelles sont mauvaises. Le préfet confirme rapidement mes soupçons.

— Madame la présidente, les braconniers sont là, il semblerait qu'il y ait des carcasses le long du fleuve. Les braconniers sont cachés dans les sous-bois, ils bivouaquent en brousse, mais nous n'avons pas assez de moyens pour les attraper.

— Je n'ai même pas de véhicule, ajoute l'inspecteur forestier.

— Il faut qu'on y aille, je dois voir ces carcasses, dis-je.

— Il est trop tard ! La nuit va tomber et on ne sait même pas où localiser ces carcasses, me répond le préfet.

— Il nous faut seulement un pisteur. C'est comme ça qu'on procède à SOS Éléphants : on va dans la zone et on paie un pisteur parmi les communautés.

Dix minutes plus tard, nous partons, accompagnés de deux militaires. Après une courte halte dans un petit village de brousse pour embarquer deux villageois, nous nous lançons dans les sous-bois. Au bout d'une heure, la nuit est presque tombée et toujours aucune trace des cadavres. Ce sont des rapaces sur un arbre, non loin du fleuve, qui finissent par nous mettre sur la voie. Nous découvrons un premier corps, puis un autre, environ cinquante mètres plus loin, puis encore un autre. Il y en a absolument partout. Probablement abattue pendant qu'elle allaitait, je trouve même le corps d'une femelle éléphant dont les mamelles ruissellent encore de lait.

Les militaires, le préfet, le chef d'inspection des Eaux et Forêts et Raphaël, tous me regardent aller d'une carcasse à l'autre. Je m'agenouille auprès de ces géants immobiles, à la recherche des impacts de balles. Ici, les braconniers n'utilisent pas de simples kalachnikovs, ils abattent les éléphants avec des armes de guerre, d'une balle dans la tête. Les trous sont énormes. Je questionne le préfet :

— Qui a ce genre d'armes dans le pays ?

Tout le monde baisse la tête. Raphaël, comme chaque fois que nous découvrons des carcasses, allume une cigarette. Il ne supporte plus l'odeur de la chair en décomposition. Il me dit :

— Une chose est sûre, c'est que la garde présidentielle possède ce genre d'armes ; mais des miliciens bien équipés pourraient eux aussi en être pourvus.

Une fois encore, je ne comprends pas comment, dans un pays où il y a des contrôles d'armes sur toute l'étendue du territoire, à cause des risques de coup d'État, des braconniers peuvent ainsi impunément posséder de telles armes. Même s'ils sont à cheval, comment personne ne les a interceptés dans cette zone du Tchad à un moment ou à un autre ? Je suis convaincue qu'il y a des complicités bien organisées.

— Les braconniers sont souvent là. Ils bivouaquent et, de temps en temps, des voitures les rejoignent, intervient un des paysans.

— Des véhicules ? Quels types de véhicules ?

— Ils trafiquent avec les braconniers.

— Quoi ? Et vous êtes tous au courant ?

C'est le préfet qui répond, gêné :

— Madame la présidente, ne croyez pas que je reste passif face à ce problème. Un jour, dans ce sous-bois, j'ai même poursuivi un véhicule sans immatriculation, aux vitres teintées. Il a fui quand je me suis approché, des hommes ont commencé à me tirer dessus et j'ai dû rebrousser chemin.

Les scénarios les plus fous me traversent l'esprit. Les braconniers, prétendument soudanais, bénéficieraient de supports internes tchadiens, peut-être même des officiels. Les véhicules aux vitres teintées viendraient les alimenter en munitions et reprendre les défenses pour les apporter à N'Djamena. Cela dit, il est possible que les tueurs d'éléphants soient tout simplement tchadiens. Une chose est sûre, c'est que les employés du poste de contrôle de Dourbali connaissent forcément les occupants des véhicules sans immatriculation. S'ils font la navette entre les sous-bois et N'Djamena, ils passent obligatoirement par ce point.

— Raphaël, dans l'autre direction, il y a quoi comme ville ou point de passage ?

— Bailli et les sites pétroliers, là où les Chinois de la CNPC construisent la raffinerie.

— Et ils se déplacent comment, les travailleurs chinois qui travaillent sur ce site ?

— En voiture parfois, mais surtout par petits avions.

Dans mon esprit, tout est clair. Les braconniers sont ravitaillés en brousse par des véhicules aux vitres teintées. Les occupants de ces véhicules récupèrent l'ivoire. Soit ils le rapportent à N'Djamena, avec la complicité des agents des postes-frontières de Dourbali, soit ils le transmettent directement aux Chinois de la compagnie CNPC. Quoi qu'il en soit, mes sources ont vraisemblablement dit la vérité : les Chinois sont impliqués.

La nuit tombe et nous devons partir ; le préfet nous invite à passer la nuit chez lui. Je reviendrai demain faire une vidéo. Sur le chemin, un pneu de notre véhicule crève. Le préfet sort son arme. Il scrute l'horizon pendant que son chauffeur remplace le pneu. J'ai l'impression qu'il a peur.

— Quelque chose ne va pas, monsieur le préfet ? Que craignez-vous ?

— Rien, mais on ne sait jamais, me répond-il, toujours aux aguets.

Je sais qu'il ne me dit pas toute la vérité sur cette affaire de braconnage et qu'il a peur qu'on nous tire dessus.

Le lendemain, je retourne tôt sur les lieux des carnages pour filmer les carcasses. Je remarque que les éléphants ont été tués par vagues successives. Il y a des carcasses fraîches, sanguinolentes, des moins fraîches, et d'autres qui remontent à plusieurs semaines. C'est bien la preuve que les braconniers occupent la zone et qu'ils reviennent régulièrement abattre les éléphants.

Ce même jour, des paysans m'indiquent qu'ils ont aperçu un jeune mâle éléphant boitant de la patte droite. Il va et vient le long du fleuve, ne quitte pas le périmètre et reste des heures entières auprès de ses congénères abattus.

— Ne t'approche surtout pas de lui, me dit un des paysans. Il est très dangereux ! Il a chargé une femme qui revenait du fleuve ; cet éléphant veut tuer les hommes.

Les villageois ont très peur de lui. Pour moi c'est évident, cet éléphant est un rescapé du massacre. Il erre solitaire et malheureux dans la brousse et tente de faire son deuil, privé de tout lien social, traumatisé alors que ses congénères ont été décapités presque sous ces yeux. J'ai lu dans de nombreux livres que l'éléphant est un des rares mammifères à faire son deuil ; les témoignages parlent de véritable douleur morale. Je sais que les balles logées dans son gros corps et la peine que nous, humains, lui avons inutilement infligée, le font horriblement souffrir. Je demande aux paysans de m'aider à localiser cet éléphant et j'appelle notre vétérinaire, le docteur Ben, un des seuls au Tchad habilités à travailler sur les éléphants. Je lui explique mon problème.

— Présidente, si vous voulez que je le soigne, qu'on extraie ces balles, il va nous falloir de puissants anesthésiants introuvables au Tchad ; mais les militaires de la base Épervier peuvent peut-être nous aider. Vous devez leur réclamer ces produits, me répond-il.

Les villageois m'ont promis qu'ils m'appelleraient dès qu'ils auraient localisé l'éléphant. Ils ne m'ont jamais contactée. Nous n'avons jamais pu soigner cet éléphant. Et nous n'avons malheureusement pas eu assez de moyens pour partir à sa recherche avec plusieurs équipes de gardes et de vétérinaires, comme cela aurait été fait au Kenya ou en Afrique du Sud. Quelques semaines plus tard, une femme et un paysan décéderont, attaqués par un éléphant qui, semble-t-il, boitait. Je sais que c'est lui. Il est encore vivant, mais est devenu un éléphant tueur d'hommes.

Désœuvrée, je rends visite au gouverneur de la région pour évoquer le problème du braconnage. Je lui montre mes vidéos. Il est gêné, mais nullement surpris.

— Oui, je sais, madame la présidente, il faut que ces tueries d'éléphants cessent. Je suis content que vous soyez venue nous aider.

Le gouverneur ne peut pas ne pas être au courant. Je suis désormais convaincue que, dans cette partie du territoire, les éléphants sont les victimes d'un réseau mafieux qui terrorise tout le monde. L'omerta est la règle qui prévaut. C'est Raphaël qui me fait comprendre ça.

— Tu sais, Stéph, le préfet, le gouverneur, le chef d'inspection forestière, même s'ils sont au courant, ils ne diront rien ! Ils ont des familles, ils ne prendront pas le risque de s'en mêler.

Sur la route de retour vers N'Djamena, j'appelle le ministre porte-parole du gouvernement, Mahamat, avec qui j'avais travaillé en 2007 sur le dossier électoral, et lui fais part du désastre du Chari-Baguirmi.

— Mahamat, des dizaines de carcasses d'éléphants jonchent le sol. Et ce n'est pas tout, il y a des camions entiers bourrés de bois vert qui passent le poste de Dourbali. Du bois vert, Mahamat, pas du bois mort !

— Tu as des preuves ?

— Oui, j'ai plein de vidéos. C'est très grave, Mahamat. La politique environnementale du chef de l'État n'est absolument pas respectée dans le Chari-Baguirmi.

— Viens demain matin à Télé Tchad, nous diffuserons l'information. Le rédacteur en chef t'attendra à neuf heures.

Je décide de ne pas prévenir le ministère de l'Environnement, ça ne sert à rien. J'ai maintes fois cherché à joindre les fonctionnaires de cette administration ; je leur ai envoyé des courriers, mais ni le vieux Daboulaye, ni aucune autre direction du ministère d'ailleurs ne se sentent visiblement concernés par les tueries d'éléphants.

Pourtant le lendemain, tandis que j'attends que le technicien monte le reportage, j'aperçois le ministre de l'Environnement qui s'est déplacé en personne au siège de Télé Tchad, la télé nationale. Il panique. Il veut empêcher la diffusion de la vidéo.

— Comment osez-vous prétendre qu'il y a beaucoup de carcasses ? me lance-t-il d'un ton menaçant.

Je lui montre alors les photos.

— Madame, il s'agit à l'évidence de vieilles carcasses. Vous ne pouvez pas passer cette vidéo sur les antennes nationales, ce n'est pas sérieux de votre part !

— Monsieur le ministre, plusieurs éléphants ont été tués cette semaine ; d'autres, effectivement, les semaines passées. Ils sont plusieurs dizaines, là, étendus sur le sol, sans tête, y compris une femelle allaitante !

Le soir, au journal de vingt heures, malgré les probables pressions du ministre, le reportage est diffusé. Je suis en train de dîner chez Halime Déby, qui regarde le journal du soir.

— C'est bien, ma fille, c'est très bien ! Tu es célèbre au Tchad, maintenant, me dit-elle.

Elle est fière de moi. Elle aussi a une fondation, pour lutter contre la drépanocytose, mais depuis qu'elle a été supplantée par Hinda, elle a toute la peine du monde à faire en sorte que sa fondation récupère son panache d'antan. Je souhaite plus que tout l'y aider. Décidément, j'aime cette femme, elle est mon amie.

Le lendemain matin, dès huit heures, Raphaël me téléphone, affolé.

— Stéph, il faut que tu appelles le directeur du protocole d'Idriss Déby, c'est urgent, il te cherche partout.

Je ne connais pas le nouveau directeur du protocole, mais je le rappelle sur-le-champ.

— Madame la présidente de SOS Éléphants du Tchad, le chef de l'État veut vous voir.

— Cet après-midi ?

— Non, tout de suite, ce matin. C'est à propos de SOS Éléphants et du dernier cas de braconnage.

— Très bien, je viendrai avec mon secrétaire général.

Dans la salle d'attente de la présidence, le ministre de l'Environnement attend, ainsi que le directeur de cabinet. Le ministre m'adresse à peine la parole. Il a perdu de son arrogance. Nous connaissons tous deux le tempérament du chef de l'État et savons que l'un d'entre nous va passer un mauvais quart d'heure. Soit je vais me faire remonter les bretelles pour avoir dénigré la mise en œuvre de la politique environnementale du Tchad, soit c'est le ministre qui sera sermonné pour sa passivité face au braconnage.

Le chef de l'État m'invite à m'asseoir sur un canapé à côté de lui. Son regard se pose sur moi avec insistance. Je sens qu'il est heureux, tout comme je le suis. J'aurais voulu lui dire : « Bonjour, Excellence », mais les mots restent bloqués. Au lieu de ça, je lance :

— Ça va ?

— Ça va, me répond-il en souriant.

Il s'interrompt un instant.

— C'est dur, ce que vous faites. Que se passe-t-il dans le Chari-Baguirmi ?

Le ministre veut prendre la parole, mais le chef de l'État se tourne vers moi.

— Monsieur le président, à vrai dire, je suis perplexe, il y a une importante vague de braconnage dans le Chari-Baguirmi. Je pensais que votre politique actuelle était de protéger les éléphants ?

Idriss Déby braque alors ses yeux sur le ministre, le regard dur, en contraste parfait avec les grands sourires emplis de bonté qu'il me jette.

— Monsieur le ministre ?

— Cette femme et son organisation nous causent un tort considérable, Excellence, surtout avec les médias étrangers.

N'importe quelle personne un peu subtile comprendrait que le chef de l'État et moi sommes de vieilles connaissances, mais visiblement, le ministre n'est pas au courant et il m'attaque en présence du chef de l'État, qui n'apprécie pas du tout. Il a compris que je dis la vérité, il y a bien des éléphants braconnés dans le Chari-Baguirmi.

— Cette femme, monsieur le ministre, c'est la société civile ! J'ai vu les cadavres des éléphants au journal du soir. Pourquoi, avec tout l'argent que j'injecte dans votre ministère, un cas si grave est-il passé sous silence ? Je vous somme de coopérer avec SOS Éléphants du Tchad, est-ce clair ?

— Oui, monsieur le président ! Vous savez, certaines de nos directions au ministère m'avaient donné de mauvaises informations sur cette organisation.

Je réalise que le directeur des parcs, Daboulaye, a bien fait son travail de sabotage. Le président Déby est furieux.

— Et que fait la brigade mobile ?

— La brigade mobile est clouée au sol, monsieur le président, interviens-je. Ils n'ont pas encore l'autorisation de quitter N'Djamena. Ils attendent les ordres de mission de votre Premier ministre.

Cette information contrarie davantage le chef de l'État, qui, devant moi, appelle le Premier ministre :

— Monsieur le Premier ministre, que se passe-t-il dans le Chari-Baguirmi ? Pourquoi la brigade mobile de protection de l'environnement n'est-elle pas encore partie sur le terrain ?

Le président Déby a une très forte autorité. Ses collaborateurs, quand il leur demande des comptes, ont intérêt à s'exécuter sur-le-champ. J'entends le Premier ministre répondre :

— Monsieur le président, je les fais partir tout de suite.

Le ministre de l'Environnement ne dit plus un mot et le chef de l'État commence à me parler de sa passion pour l'environnement. J'en profite pour évoquer le problème des destructions des récoltes par les éléphants et le système de corridors mis en place par les Kényans que nous pourrions envisager sérieusement au Tchad.

— Le Kenya n'est pas un modèle, Stéphanie. De toute façon, je crois que, quoi qu'on fasse, les éléphants mangeront toujours les récoltes des paysans.

Il a peut-être raison, je n'en sais rien. Je pense tout de même que nous n'avons pas fait le maximum pour eux. En fin de conversation, je lui demande une faveur :

— Monsieur le président, je souhaiterais avoir un terrain au Tchad.

Il sourit, ce qui veut dire qu'il acquiesce. Ça signifie beaucoup pour moi. Ce terrain représente l'aire protégée que je veux créer pour les éléphants dans le département du Mayo-Lémié en faisant libérer les corridors. Je veux tôt ou tard demander au PR de classer la zone comme une zone protégée présidentielle et de confier sa gestion aux membres de mon ONG.

Notre entretien prend fin. Le PR prie son chef de cabinet de suivre attentivement notre dossier. Je me lève et lui serre la main, puis m'approche de la porte, prête à partir. Je sens son regard posé sur moi. Il a une réaction curieuse au moment où je tente d'ouvrir la porte : il la verrouille en appuyant sur une sorte de bouton automatique. Je me tourne alors vers lui ; il me regarde, un immense sourire aux lèvres, les yeux malicieux que je lui ai toujours connus… Puis, au bout de quelques secondes, il appuie de nouveau sur le bouton et je franchis la porte sans oser me retourner. Quels que soient les malentendus passés, ma maladresse, sa maladresse, la fréquence de nos rencontres, espacées ou non, le président et moi savons tous deux que nous nous affectionnons à notre manière, et que cette amitié restera à jamais. Certains y verront une affaire de destin, alors que c'est un des tout premiers pays africains où je me suis rendue toute jeune et où je me suis, par la force des choses, enracinée. Pour moi, c'est le pays des éléphants et aussi le pays de « Idriss ».

À la suite de cet entretien, le directeur de cabinet et moi fixons un rendez-vous pour une réunion de travail. Le président a enfin donné l'ordre de nous aider ; nous allons pouvoir accélérer la mise en œuvre de nos activités. Mais c'était compter sans Hinda Déby, qui, en l'absence de son mari, a dû tant faire pression sur ses collaborateurs qu'ils ont annulé la rencontre sans même me prévenir. Les membres de mon équipe ne comprennent pas que je n'aie pas demandé une aide financière directement au chef de l'État.

— Tu sais, il est généreux, si tu as besoin de quelque chose, il faut lui demander tout de suite, quand tu es avec lui, sinon tu peux être sûre que ses collaborateurs ne feront rien et, pire, vont tout saboter.

— Je ne pouvais pas parler des problèmes logistiques de SOS Éléphants lors de cette réunion, ça m'aurait complètement décrédibilisée ! Ma priorité, c'était le braconnage inadmissible des éléphants dans une zone qu'il était très facile de sécuriser, puisqu'elle n'était pas proche de la République centrafricaine où plusieurs groupes de braconniers surarmés avaient leurs bases arrière.

Mon équipe a raison de me faire des reproches, mais j'ai du mal à l'admettre et à avouer que nous sommes torpillés par le propre entourage de mon protecteur, l'Autorité du pays.

Le soir même, le ministre de l'Environnement me téléphone et, obéissant aux ordres du chef de l'État, me propose de le rejoindre dans le Chari-Baguirmi pour voir les carcasses d'éléphants. Il est déjà tard et je n'ai aucune envie de revoir ces éléphants sans tête, c'est très pénible ! Je le remercie poliment et décline l'invitation.

Le lendemain, accroupie sur une carcasse, je fais la une du *Progrès*. L'article est intitulé : « Reprise du braconnage dans le Chari-Baguirmi, des inconnus massacrent des éléphants ». Le surlendemain, un énorme scandale éclate à propos de la coupe du bois vert et le ministre de l'Intérieur fait brûler plusieurs camions remplis de bois vert dans ce département. Dans la presse, on ne parle plus que de ma visite dans le Chari-Baguirmi et du vacarme qu'elle a provoqué, notamment autour du ministre de l'Environnement, d'un chef coutumier du Chari-Baguirmi et d'un général tchadien zaghawa.

Moins de trois jours plus tard, le chef de l'État, par décret présidentiel, révoque le tout-puissant ministre de l'Environnement. C'est un gage important pour moi ; il me prouve par cet acte qu'il ne laissera pas impunis des actes de braconnage à l'encontre des éléphants sur son territoire. Le bruit circule dans tout le pays que le ministre a été révoqué à cause de moi.

15

Le roi de Bouba Ndjidah

Depuis le début du mois de février, nous entendons dire que des éléphants sont abattus dans le nord du Cameroun, dans cette zone où le parc de Sena Oura, au Tchad, rejoint le parc de Bouba Ndjidah, au Cameroun. Raphaël et moi décidons de nous rendre sur le terrain, sachant que les éléphants qui sillonnent le nord du Cameroun sont les éléphants du Tchad en transhumance. La route directe pour atteindre le nord du Cameroun étant trop dangereuse, à cause des braconniers, nous choisissons de contourner la zone frontalière de brousse et de passer par un autre poste-frontière, Kousséri, puis de descendre à Maroua pour passer la nuit, enfin de gagner Garoua et d'y dormir avant d'accéder au parc de Bouba Ndjidah.

Nous venons tout juste de franchir le poste-frontière de Kousséri quand Raphaël me dit :

— Tu sais, Stéph, la route que nous allons emprunter est truffée de coupeurs de route la nuit.

— Que veux-tu que nous fassions ? Le conservateur du parc de Wasa nous attend, nous n'avons pas le choix. Il ne nous reste qu'à prier !

Au bout de deux heures, il fait nuit noire et plus un seul véhicule ne circule, sauf un, qui, depuis quelques instants, nous suit de près. Il a les vitres teintées. Je ralentis, la voiture ralentit ; j'accélère, elle accélère.

— Ils nous suivent, c'est sûr ! s'exclame Raphaël.

Je m'attends à tout instant à entendre des coups de feu retentir. Le véhicule tente désormais de se mettre à notre niveau. Je commence à avoir peur, j'accélère au maximum. Le seul avantage que j'ai, ce sont les gros pneus de mon pick-up qui, me semble-t-il, supporteront plus aisément les trous sur la route. Ainsi, après quelques minutes à très vive allure, je sème l'importun.

Nous arrivons au parc de Wasa à vingt-deux heures. Le conservateur nous attend. Pendant plus d'une heure, nous parlons du braconnage au Cameroun. Il m'avoue que son parc compte de moins en moins d'éléphants, sans savoir s'ils ont quitté la zone parce qu'elle est trop aride ou s'ils cherchent à fuir les braconniers. Mais peut-être tente-t-il de me dissimuler qu'ils ont été exterminés par ces derniers. Les fonctionnaires de la sous-région qui sont en charge de la surveillance de la faune sauvage dans les parcs admettent très difficilement que leurs gouvernements déploient trop peu de moyens et de ressources humaines pour que soit assurée une protection efficace des éléphants.

Épuisée, je m'endors vers minuit, dans une hutte réservée aux visiteurs du parc de Wasa.

Le lendemain, après quelques heures de route, le moteur du véhicule nous lâche. La ville la plus proche, Figuil, est à plus de quinze kilomètres ; nous sommes en pleine campagne. Heureusement, des paysans camerounais nous aident et préviennent un garagiste qui remorque le véhicule. Après plus de vingt-quatre heures d'attente, le temps que le garagiste démonte le moteur, trouve la pièce défectueuse et la change, nous repartons et atteignons Maroua à dix-neuf heures, soulagés. Le manager de l'hôtel a passé plusieurs années au parc de Bouba Ndjidah et semble au courant des derniers cas de braconnage.

— C'est horrible, ce qui se passe là-bas ! La semaine dernière, les braconniers ont tué des dizaines d'éléphants, ainsi que deux jeunes gardes communautaires, tous deux pères de famille. L'un des deux, vingt-deux ans à peine, a reçu une balle dans le dos alors qu'il se penchait sur une carcasse, son arme au sol. Plus personne ne veut travailler là-bas ; ils ne veulent pas risquer leur vie pour des éléphants, nous dit-il.

Ces informations nous sont confirmées le lendemain au parc de Bouba Ndjidah. Paul Bour, le manager, a une crise aiguë de paludisme ; c'est son épouse qui nous reçoit. Elle nous mène au camp, très agréable – un petit groupe de huttes modernes, des *boukarous*, joliment aménagées au bord d'une rivière –, puis nous sortons dîner tous les trois avec un groupe de touristes français.

Le soir, dans mon lit, je ne trouve pas le sommeil. Je ne cesse de me dire que les gouvernements de la sous-région ne sont pas assez informés et équipés pour protéger efficacement les éléphants. Il leur faudrait de véritables miliciens privés, incorruptibles et entièrement dévoués à la cause, surentraînés et surarmés, car nous tous, membres de SOS Éléphants, conservateurs des parcs, gouvernants de la sous-région, sommes en guerre.

Quand je rencontre Paul Bour, il est encore sous le choc de ce qui est arrivé à ses deux écogardes. Il est malade à cause du paludisme, mais la mort de ses gardes et celle des éléphants l'ont cloué à terre plusieurs heures dans un moment de total découragement. Il me fournit quelques précisions sur les récents braconnages. Il sort une carte et me montre les points d'entrée des braconniers sur le territoire camerounais :

— Regardez, ils passent par là. Ils ont forcément bivouaqué au Tchad avant d'arriver ici.

— Quelle est leur position actuelle ?

— Là, dans ce coin-là, me répond-il en désignant une zone à proximité de la frontière tchadienne. On ne peut pas y aller, c'est trop dangereux.

— Combien sont-ils d'après vous ?

— Une quarantaine, venus directement du Tchad. À mon avis, ils fuient les militaires du Tchad qui ont déclaré la guerre aux braconniers. Ici, ils ne risquent pas grand-chose, le gouvernement ne fait rien. Le seul qui nous aide, c'est Sa Majesté de Bouba Ndjidah, qui règne sur une grande partie du nord du Cameroun. Un de ses représentants est d'ailleurs au camp pour saluer un groupe d'Espagnols avec qui il fait des affaires.

C'est la première fois que j'entends parler de ce souverain, j'ignorais complètement que le nord du Cameroun appartenait à un roi.

Une dizaine d'écogardes se joignent alors à nous et Paul relance la conversation sur les braconniers. Les jeunes gardes me témoignent leur désarroi. Ils préfèrent ne pas avoir d'emploi que de mourir sous les balles des braconniers.

Leurs récits me touchent. Je regarde Paul droit dans les yeux et lui demande, l'air grave :

— Est-il possible de mobiliser une unité militaire pour chasser les braconniers, à votre avis ?

— Le seul qui puisse, c'est Sa Majesté.

— Comment puis-je le rencontrer ?

— Les Espagnols entretiennent de très bonnes relations avec lui, je vais le leur demander. Ils ont un camp de chasse dans la brousse, vous pourriez partir avec eux ? Là-bas, ils joindront son directeur du protocole par téléphone et essaieront de vous organiser ce rendez-vous. Je vous préviens, il faudra être patiente, c'est un homme très difficile à rencontrer !

Les Espagnols acceptent immédiatement la demande de Paul Bour et, une heure plus tard, nous prenons la route. Je suis personnellement assez hostile à la pratique de la chasse, mais ces gens sont fort sympathiques. En outre, notre objectif est le même : se débarrasser des braconniers. Ces derniers menacent la sécurité de leurs clients, des rangers, des pisteurs, et compromettent la survie de certaines espèces, comme les éléphants, qui attirent leurs touristes.

Le camp est très confortable. Ces Espagnols font manifestement partie de la haute société. En un rien de temps, ils me prennent un rendez-vous avec le roi peul, le lendemain en fin de matinée à Rey Bouba, ville où se dresse le palace du tout-puissant monarque.

J'apprends que le Lamido est un ancien ministre de l'Agriculture. Le décès prématuré de son frère, en 2006, l'a obligé à quitter Yaoundé pour les terres ancestrales de la famille Bouba, une dynastie africaine encore fortement imprégnée des traditions peules. Nous passons une fin de journée agréable, évoquant longuement, encore une fois, le problème du braconnage.

Pour rejoindre le roi, nous longeons une haie d'honneur faite d'un parterre de serviteurs courbés au sol. L'homme est très grand, assez beau, et me semble plutôt moderne.

— Majesté, nous sommes venus vous entretenir du braconnage des éléphants, lui dis-je.

Il a parfaitement conscience de ce qui vient de se passer sur ses terres. Devant nous, il appelle le commandant de la brigade d'intervention rapide camerounaise (BIR). Il lui dit d'un ton ferme :

— Je suis très embêté par la présence des braconniers sur mes terres et j'ai des hôtes venus du Tchad qui doivent vous rencontrer au plus vite. Quand pouvez-vous venir ?

Le commandant n'est pas dans cette partie du territoire ces jours-ci.

— C'est parfait, ils vous attendront, dit-il au commandant, et, se tournant vers Raphaël et moi : il n'est pas encore là. Il lui faudra deux ou trois jours pour rentrer. Vous êtes mes invités !

Nous le remercions poliment et deux serviteurs nous conduisent dans une maison d'hôte, une annexe du palais.

Dans l'après-midi, en nous promenant dans la ville, nous passons devant la case d'un sage africain que le Lamido consulte de temps à autre.

— Laissez-moi seule avec lui, s'il vous plaît, j'ai besoin de consulter cet homme, dis-je à Raphaël et aux deux hommes qui nous escortent.

Le devin utilise différents supports, dont les cauris, les petits coquillages blancs qui parlent aux initiés. Il me dit :

— Tu souhaiterais rester dans cette région, mais tu vas devoir partir un peu loin. Il le faut, c'est pour ton bien.

— Pourquoi dois-je partir ? Est-ce que quelqu'un me fait partir d'ici ?

— Toi, rien ne te fait peur ! Mais tu as un travail important dans un autre pays africain. Tu reviendras triomphante, car les gens t'aiment beaucoup ici, même si tu feins de l'ignorer. Si certains ne reconnaissent pas la qualité de ton travail, ne t'en fais pas, Dieu, lui, te regarde. Il sait que tu donnes ton temps à une cause très noble dont profiteront les enfants de la région un jour. Ce sont eux qui viendront te remercier. Tu verras.

Je quitte le marabout songeuse. Ça fait plus de dix-huit mois que j'ai arrêté de travailler pour me consacrer entièrement à la sauvegarde des éléphants du Tchad, dépensant sans compter, et j'arrive presque au bout de mes économies. À ce rythme-là, je sais qu'il faudra tôt ou tard que je me réengage dans une mission auprès de l'ONU ou de l'Union européenne et reprenne mes missions d'expertise électorale auprès des gouvernements africains, au moins pour un temps. Quoi qu'il arrive, c'est sûr, je n'abandonnerai jamais, je ferai tout ce qui est en mon pouvoir pour sauver ces éléphants. C'est un défi supplémentaire que je vais surmonter ! Je pourrais peut-être envisager de rester au Tchad sans aucuns moyens, de vivre dans une case en brousse et de boire l'eau du puits, de prendre le bus des journées entières pour aller d'une ville à l'autre sous un soleil de plomb, et de continuer inlassablement, mais je suis trop réaliste pour savoir que sans moyens, nous ne pouvons pas défendre ces éléphants. Il me faut aller vite, alerter le plus de personnes possible, sensibiliser les populations et courir contre la montre, mais certainement pas à dos d'âne avec un sac à dos !

Deux jours plus tard, le commandant de la BIR arrive à Rey Bouba. Le Lamido fait immédiatement les présentations.

— À la demande du Lamido, nous allons très prochainement ratisser la zone pour la débarrasser des braconniers. Je
vous tiendrai informée, me dit le commandant.

— Merci. Dites-moi, lorsque vous allez intervenir, les
braconniers vont reprendre la direction du Tchad, n'est-ce
pas ?

— Oui, c'est sûr et certain.

— Je vais vous mettre en relation avec le coordinateur
de la brigade mobile de protection de l'environnement au
Tchad. Lui et ses éléments pourraient se positionner de
l'autre côté de la frontière et attraper les braconniers qui vous
fuiraient.

— C'est une excellente idée ! Nous n'avons pas assez de
coordination entre nos deux États quant au traitement de ces
bandits.

Le Lamido s'adresse alors au commandant :

— Faites vos histoires discrètement, loin de la presse. Je
ne veux pas qu'un juge de TPI quelconque mette le nez dans
cette histoire de nettoyage de la poche de braconniers sur
mes terres.

C'est moi qui réponds au Lamido à la place du commandant :

— Majesté, ces gens-là sont des tueurs ! Ils viennent de
tuer deux de vos sujets et ils sont en train d'exterminer des
centaines d'éléphants ! À ce rythme-là, le parc de Bouba
Ndjidah n'aura plus un seul pachyderme dans deux ans. C'est
tout un écosystème qui est en péril par leur faute.

— De nos jours, avec toutes ces organisations des droits
de l'homme qui sévissent partout, on ne sait jamais qui va
vous épingler lorsque vous faites preuve d'autorité.

Je le regarde, attendrie. Il se lève, passe une main amicale
sur mon épaule et poursuit en riant :

— Madame, rassurez-vous, je suis très autoritaire et respecté sur mon royaume, je n'ai pas peur des journalistes, ni
de qui que ce soit. J'en ai vu d'autres ! Je suis un roi et je
fais ce que je veux sur mes terres !

L'audience touche à sa fin. Je préfère serrer la main du Lamido plutôt que d'accepter son accolade et, accompagnée par les gardes, je retourne à la maison d'hôte.

Malgré l'insistance du Lamido, Raphaël et moi décidons de reprendre la route au plus vite en traversant directement la zone où stationnent les braconniers pour rejoindre le parc de Sena Oura, de l'autre côté de la frontière. Ce n'est pas très prudent, les braconniers ne sont pas loin, mais nous devons nous y rendre pour localiser leur base arrière, sur le territoire tchadien. Que les braconniers puissent stationner au Tchad me mortifie et je souhaite que ces massacres s'arrêtent de toute urgence. Je dois expliquer la situation au colonel Bassi et le mettre en contact au plus vite avec le commandant de la BIR pour qu'ils organisent une intervention armée coordonnée.

Jusqu'à la frontière du Tchad, à une trentaine de kilomètres environ, des hommes du Lamido nous escortent. Un de ses aides de camp est avec nous dans la voiture et nous indique le chemin, une simple piste de brousse. Nous faisons un léger détour pour contourner la base des braconniers. Je demande à l'aide de camp :

— Où est leur bivouac ?

— À environ dix minutes en voiture.

— Tu n'as pas peur ?

— Non, je suis au service du Lamido, je serais fier de mourir pour lui.

— J'aime beaucoup le Lamido, mais moi, je ne veux pas mourir ici, Stéph ! s'exclame Raphaël.

Nerveux, nous éclatons de rire. Ça nous détend un peu. Nous arrivons au bout du chemin de brousse.

— Voilà, vous êtes au Tchad ! s'exclame l'aide de camp.

Il n'y a rien, pas un agent, pas même un panneau ! L'expression « frontière poreuse » prend tout son sens. Les braconniers la traversent sans être aperçus d'aucune force de l'ordre, surtout dans cette partie sud du territoire tchadien, là où se trouvent les éléphants. Ces dernières années, les rébellions sont venues de l'est et du nord, pas de cette partie du territoire, ce qui explique que les frontières ne soient pas sécurisées.

J'arrête le véhicule et descends scruter l'horizon. À une centaine de mètres, j'entrevois un chemin en terre disparaissant dans les sous-bois, probablement celui du parc de Sena Oura. Nous saluons l'aide de camp, qui doit repartir. Raphaël et moi sommes désormais seuls. Je tente de joindre le colonel Bassi pour lui donner notre position. C'est le colonel Fadoul qui décroche, directeur des affaires financières de la brigade mobile et proche du chef de l'État.

— Take, ta position ?

— Je ne sais pas exactement, colonel, nous sommes tout près de la frontière avec le Cameroun et nous entrons dans le parc de Sena Oura pour rejoindre Pala.

— Tu m'appelles toutes les deux heures s'il te plaît.

Je suis rassurée. Je sais qu'à tout moment, les autorités tchadiennes devraient pouvoir intervenir si nous nous trouvons en difficulté.

— Stéph, il ne nous reste plus qu'à prier pour que la voiture ne tombe pas en panne et que nous ne rencontrions pas la poche de braconniers, dit Raphaël. Je ne veux pas t'inquiéter, mais nous prenons un gros risque. Regarde ces traces de chevaux, les braconniers sont passés par là !

— Tu crois qu'ils nous tireront dessus s'ils nous aperçoivent ?

— Ne pense surtout pas à ça, Stéph, ça va nous attirer la poisse ! Chez nous, en Afrique, on est très superstitieux. On évite de penser aux choses quand on ne veut pas qu'elles se produisent.

Ainsi, pendant un temps interminable, nous traversons les bois de Sena Oura. Je conduis le pick-up qui ne cesse de rebondir sur les caillasses et les branches mortes. Ni Raphaël ni moi ne disons un mot. Nous ne croisons pas un seul village pendant plus d'une heure, pas un seul habitant, jusqu'à ce que nous tombions sur un groupe de cases. Nous apercevons un villageois et je lui demande s'il a aperçu des hommes à cheval sillonner la zone.

— Il y a environ dix jours, oui, ils ont campé juste à côté du village. Ils nous ont demandé de l'eau.

— Étaient-ils armés ?

— Oui, ils sont armés. Ce n'est pas la première fois qu'ils viennent ici, vous savez, ils viennent, ils repartent...

— Combien sont-ils ?

— Trente, quarante... ?

— Ils repartent tous vers le Cameroun ?

— Non, ils repartent par petits groupes de cinq avec les chevaux, parfois au sud, parfois au nord, parfois à l'est. Nous, les villageois, on a peur, on ne veut pas être embêtés : ils veulent de l'eau, on leur donne de l'eau.

Décidément, force est d'admettre que les communautés riveraines sont vraiment les seules en mesure de surveiller ces zones rurales. Sans elles, je ne pourrais recueillir ces informations, et les forces de l'ordre, en effectif réduit dans cette partie du territoire, sont encore moins en mesure de le faire.

Nous reprenons la route. Je ne veux pas prendre le risque de dormir ici, c'est trop dangereux. D'après le paysan, il y a un village un peu plus important à dix-huit kilomètres ; nous passerons la nuit là-bas.

La piste est très mauvaise, nous avançons doucement dans la nuit noire ; un de mes phares ne fonctionne pas, et nous atteignons finalement le village à vingt-deux heures. Le chef de village nous accueille chaleureusement, comme il est d'usage au Tchad, et nous invite à dormir dans sa cour sur une natte, à la belle étoile. Nous dînons avec lui.

Le lendemain, après avoir écouté le chef de village et les paysans me donner leur vision du braconnage, la réalité s'impose à moi : les habitants des zones rurales sont sous-sensibilisés. Ils ne comprennent pas pourquoi ils doivent arrêter de couper le bois vert alors qu'ils en ont besoin pour cuisiner, de même qu'ils ne comprennent pas pourquoi il faudrait protéger les éléphants alors qu'ils ne leur sont d'aucune utilité et qu'au contraire les pachydermes viennent manger dans les greniers des huttes le peu de récoltes dont ils disposent.

Après une brève escale à Pala puis à Tikem, nous sommes de retour à N'Djamena. À la maison, en ouvrant mes courriels, je constate que j'ai reçu une proposition de travail de l'ONU pour une durée de six mois comme expert électoral au Burundi. Je vais donc pouvoir améliorer ma situation financière, mais il faudra que je m'éloigne aussi du Tchad, du moins provisoirement. J'hésite à accepter. Je crains qu'en mon absence la situation des éléphants ne se détériore encore. Je ne réponds pas tout de suite et fonce, accompagnée de Raphaël, à la brigade mobile de protection de l'environnement pour parler au colonel Bassi de l'intervention de la BIR dans le nord du Cameroun. Je commence par lui montrer les photos du massacre des éléphants du parc de Bouba Ndjidah.

— Mais, Take, ça, ce sont les éléphants du Cameroun, me dit-il.

— Colonel, les éléphants du Cameroun et ceux du Tchad sont les mêmes, ils n'ont que faire des frontières.

Je lui explique que le commandement de la BIR s'apprête à chasser les braconniers de Bouba Ndjidah et qu'il faut que ses hommes leur tendent un piège de l'autre côté de la frontière, au Tchad.

— C'est une bonne idée, Take, mais il nous faut l'autorisation du Premier ministre et en ce moment, il ne bouge pas à cause des remaniements ministériels à venir.

Je réalise que le scénario que j'avais imaginé au Cameroun est loin d'être facile à mettre en œuvre et que je fais face soit à une certaine forme d'incompréhension, soit à des lourdeurs bureaucratiques. Soucieuse, je rentre chez moi et décide de faire appel au ministre de la Défense ; je le connais bien, car j'ai travaillé avec lui sur le dossier politique du Tchad il y a quelques années. Il paraît heureux d'entendre ma voix. Mais à son tour, il ne semble pas pouvoir faire grand-chose.

— Stéphanie, votre cause est noble, mais nous avons beaucoup de difficultés à comprendre qui sont les braconniers, d'où ils viennent et où ils vont. Il faut me monter un dossier complet. Pour le moment, on attend un remaniement ministériel et je suis, comme mes collègues, dans l'attente. Venez me voir la semaine prochaine.

Je suis de plus en plus découragée, mais je refuse de baisser les bras. Je tente alors le tout pour le tout et compose le numéro de téléphone du palais présidentiel. Il n'y a désormais que le président qui puisse m'aider.

— Oui, madame, c'est pour quoi ?

— Stéphanie Vergniault à l'appareil, la présidente de SOS Éléphants du Tchad. J'ai besoin de joindre le chef de l'État de toute urgence.

— Un instant, s'il vous plaît.

Après quelques minutes, j'entends de nouveau la voix du standardiste :

— Madame, il n'est pas disponible pour le moment, il vous rappellera. Je lui transmets votre appel.

Toute la nuit j'attends que le chef de l'État me joigne, en vain. Des idées noires me traversent alors l'esprit. Je suis totalement découragée, submergée par le doute. Et si ces braconniers avaient des protecteurs insoupçonnés autour du chef de l'État, ce qui expliquerait que, malgré tous mes efforts et la politique officielle du gouvernement, nous ne pouvions pas arrêter le braconnage ? Le marché de l'ivoire est un marché juteux, de plusieurs millions de dollars. Les tueries récentes des quatre mille éléphants du parc de Zakouma ont généré d'énormes profits. Or, dans ce pays, comme dans tous les pays du continent africain, tout ce qui est source de revenus importants est entre les mains quasi monopolistiques de certains proches du pouvoir. Quelle est la probabilité pour que ce ne soit pas le cas du marché de l'ivoire ? De plus en plus d'éléments confortent cette hypothèse, à commencer par les armes utilisées par certains braconniers, les messages urgents qui ne parviennent jamais au chef de l'État, la peur du vieux directeur des parcs qui refuse catégoriquement de hausser le ton lorsque les éléphants sont tués. Je n'ai toujours pas élucidé le mystère des véhicules aux vitres teintées du Chari-Baguirmi. En outre, tout ce que mes sources de renseignements me disent va en ce sens.

Je suis abattue, je commence à perdre la foi et ma situation financière est de plus en plus inquiétante. C'est la raison pour laquelle je finis par accepter ce poste au Burundi, dans une des agences des Nations unies.

Je passe ma dernière semaine dans notre site de fortune du Mayo-Lémié et procède ainsi à l'inauguration d'une équipe de football appelée SOS Éléphants.

Le sous-préfet, Urbain Mady, qui nous a fourni les maillots, répète à ses administrés :

— N'oubliez pas, si SOS Éléphants et madame la présidente vous aident, c'est parce qu'il y a des éléphants ici. Ils vont essayer d'attirer des visiteurs et de développer la sous-région. Alors, s'il vous plaît, surveillez les éléphants, prévenez-moi, ou bien le préfet, les gendarmes, les représentants de SOS Éléphants, dès que vous apercevez des hommes armés susceptibles d'être des braconniers. Ne laissez pas massacrer votre patrimoine par les braconniers ; ces éléphants sont votre richesse !

Ce jour-là, SOS Éléphants a également remis du matériel agricole aux paysans, notre objectif étant de délocaliser progressivement les paysans du corridor à éléphants. Et pour cela, nous n'avons qu'un seul appui, celui du chef de canton.

Le dernier soir avant mon départ, je passe plus d'une heure seule face à un troupeau d'éléphants ; je médite au bord du fleuve en attendant le coucher du soleil. Je ne connais pas de spectacle plus beau. Les éléphants traîneront ce soir-là des heures entières dans le fleuve. Je discerne au milieu du troupeau quelques jeunes encadrés par les adultes. Dans cet endroit du monde, hormis la brousse, les éléphants et la communauté paysanne, il n'y a rien, et ce rien me suffit. Je pourrais être la plus heureuse des femmes à la vue de ce spectacle si j'ignorais qu'à tout instant, des hommes armés peuvent massacrer les pachydermes, laissant les bébés rescapés mourir seuls en brousse, déshydratés et traumatisés.

Quelques jours après mon départ, la BIR camerounaise est intervenue, sans que le moindre soldat tchadien ne soit posté de l'autre côté de la frontière. C'est un échec. J'en veux beaucoup aux Tchadiens de leur inertie. J'ai honte, car je considère que c'est mon propre peuple, mes frères qui se montrent inefficaces.

À la fin du mois d'avril 2010, des braconniers, ceux-là mêmes que la BIR a fait fuir, mais que personne n'a été capable d'intercepter au Tchad, abattent des centaines d'éléphants.

Alors que mon moral est au plus bas, Raphaël me fait parvenir une lettre du président du comité de gestion des pétroles tchadiens. Bonne nouvelle ! Ils nous allouent une somme de vingt mille euros pour, conformément à la volonté du chef de l'État, aider les éléphants dans le Logone oriental.

J'avais promis aux paysans de ce département, qui souffrent beaucoup de la présence des éléphants, d'initier un cycle de formation afin que chacun d'eux apprenne à protéger ses récoltes. C'est une promesse qui me tient à cœur car, sans accompagnement, les paysans ne se rallient pas à notre cause. Grâce à cette aide, nous allons pouvoir commencer. Je reprends espoir.

J'appelle Paul, le président du comité, pour le remercier et lui demande quel est le calendrier de libération des fonds.

— Ne vous inquiétez pas, nous vous le ferons savoir en temps voulu, me répond-il.

Afin de ne pas perdre de temps, je recommande à notre correspondant du Logone oriental de procéder au recensement des paysans à qui nous donnerons la formation « piment » et nous commençons à nous organiser.

Des mois plus tard, les fonds ne sont toujours pas libérés. SOS Éléphants ne recevra jamais ce montant et Paul, qui était des plus aimables lors de nos premières rencontres, se fait menaçant et disparaît du jour au lendemain. Le Logone est une des zones du sud du Tchad où les éléphants ont été tués par centaines par les braconniers ces dernières années, sans que la population ne réagisse : trop de récoltes ont été dévastées par les troupeaux d'éléphants… Faute de moyens, SOS Éléphants n'a rien pu faire pour prévenir les carnages dans cette partie du Tchad.

16

Savi

En juin 2010, un éléphanteau esseulé est retrouvé par Abacar, le neveu du chef de canton dans le Mayo-Lémié, non loin du fleuve et de mon camp de fortune, que je viens de faire bâtir à quelques kilomètres.

Je n'ai aucune expérience dans le soin des bébés éléphants, et mon équipe encore moins. Un ami vétérinaire me fournit à nouveau la composition chimique du lait pour éléphanteau, que je transmets au docteur Ben.

— Présidente, je veux bien essayer de composer cette formule mais, au Tchad, il va nous manquer des ingrédients, me répond-il.

Ce jour-là, je reçois de nombreux courriels des quelque deux mille supporters du groupe SOS Éléphants du Tchad sur Facebook. Plusieurs personnes m'invitent à entrer en contact avec Dame Daphne Sheldrick, qui vit au Kenya et qui, depuis plus de trente ans, sauve des bébés éléphants et prend soin d'eux. Je lui envoie un courriel en fin de matinée ; elle me répond tout de suite.

Elle me confirme que l'éléphanteau ne doit absolument pas consommer de lait de vache, qu'il ne pourrait pas le digérer, et je dois aller de toute urgence chercher du lait maternel recomposé à son orphelinat au Kenya.

Je demande à mon employeur l'autorisation de prendre quelques jours de congé et m'envole par le premier avion. À Nairobi, Mike et Judy, un couple d'Américains engagés

159

dans la protection des éléphants, m'attendent pour me conduire à l'orphelinat de Daphne Sheldrick, qui me fournit plusieurs dizaines de boîtes de lait en poudre de fabrication anglaise et des biberons avec des tétines adaptées ; elle me précise qu'il faut donner beaucoup d'amour aux bébés éléphants. C'est ce dont ils ont avant tout besoin après le drame qu'ils viennent de traverser, car ils sont en situation de profond traumatisme.

Avant de me quitter, Daphne demande à voir une photo du bébé éléphant.

— Il est vraiment très jeune, il ne doit pas avoir plus d'un mois, dit-elle en le voyant. Bonne chance ! Tenez-moi informée.

Je lui explique alors que je souhaiterais que mon ONG soit en contact permanent avec son organisation, Sheldrick Trust.

— Dans un pays où il y a autant de braconnage, ça ne sert à rien de sauver les bébés éléphants, me répond-elle plus sèchement.

— Ça va changer petit à petit ! Je suis là pour ça.

— Si vous arrivez par miracle à sauver ces éléphanteaux et à les réhabiliter dans la brousse, ils seront tués une fois adolescents par les chasseurs d'ivoire. Votre gouvernement doit changer d'attitude et prendre cette affaire au sérieux !

Je me doute bien que Daphne, en spécialiste mondiale des bébés éléphants, connaît plus ou moins la situation des éléphants de tous les pays africains et sait quels sont les gouvernements qui ont mis en œuvre des politiques de protection efficaces, ce qui, à ses yeux, n'est pas le cas du Tchad.

Daphne est une femme très occupée. Elle me laisse en compagnie du chef des gardiens qui me fait visiter l'orphelinat en attendant que les éléphanteaux reviennent de leur promenade matinale. Chaque bébé éléphant a son box personnel et dort à côté d'un gardien qui le sécurise et lui prodigue des gestes d'amour et de tendresse afin d'éviter tout stress.

Les éléphanteaux arrivent en courant à la queue leu leu ; ils viennent de finir leur promenade et leur bain de boue quotidien et sont impatients de boire leur lait. L'un d'eux met sa trompe dans mon sac et l'emporte sous mes éclats de rire pendant qu'un autre, tout aussi agité, commence à jouer avec mes cheveux, me bouscule, se frotte à moi, tachant tous mes vêtements de résidus de boue.

— Ils t'aiment, Stéph ; ils sentent que tu les aimes ! me dit Judy.

Mais je dois déjà repartir vers l'aéroport de Nairobi. Mon équipe m'attend au Tchad, ne sachant trop comment sauver le pauvre Tom, notre éléphanteau.

Quand j'arrive, Tom est couché sur le sol. Il semble épuisé et déprimé, il a le regard triste. J'ai les larmes aux yeux. Instinctivement, comme pour le consoler, je le prends dans mes bras. Je passe toutes mes nuits à quelques centimètres de lui, sur une natte. Je lui administre l'antidiarrhéique que Daphne m'a donné et, toutes les deux heures, je vérifie son état. Je lui donne aussi le biberon, mais il n'a pas grand appétit. La seule chose qui semble l'amuser : jouer avec sa trompe dans la grande bassine d'eau que j'ai déposée dans la hutte. Je me lève la nuit et m'amuse avec lui quand il en a envie.

Quelques jours après, alors que Tom avait l'air d'aller un peu mieux, les paysans m'indiquent qu'ils ont entendu des coups de feu à proximité de notre camp. Le chef de canton et moi sautons aussitôt dans un véhicule, et embarquons quelques soldats de la brigade mobile. En moins d'une demi-heure, nous localisons la provenance des tirs.

Sur place, nous tombons sur plusieurs carcasses, très fraîches. Les éléphants viennent juste d'être tués. Les communautés riveraines affluent déjà avec des haches et de très gros couteaux pour récolter des morceaux de viande. Je demande immédiatement au chef de canton de les en empêcher. Je ne veux plus que les communautés se réjouissent de l'abattage des éléphants à cause de la viande qu'ils peuvent en tirer. Tout cela les encourage à collaborer avec les braconniers. Je suis persuadée que c'est le cas, là encore. Comment est-il possible qu'ils n'aient rien vu, rien entendu, comme ils le prétendent, alors que le village n'est qu'à quelques kilomètres de ce carnage ?

Le colonel Suleyman de la brigade mobile, qui comprend mon inquiétude, commence à les interroger, très mécontent :

— Nous ouvrons une enquête. Vous serez interrogés un par un par notre unité. Si vous nous mentez, vous finirez en prison pour complicité de braconnage.

Les villageois se regardent, effrayés, et une violente discussion éclate. Le ton devient vite agressif, tout le monde crie. J'interviens pour clore le débat :

— Messieurs, à SOS Éléphants, on n'est pas là pour vous envoyer en prison. Comprenez tout de même qu'on ne veut pas que les éléphants soient tués. Vous ne devez pas aider les braconniers et, si vous les voyez, vous devez prévenir les autorités.

L'heure tourne et je veux retrouver Tom. Ces éléphants ne sont plus que des carcasses tandis que Tom, lui, est en vie. En quittant les lieux, je jette un dernier coup d'œil aux paysans et j'ai pitié d'eux. Je sais que, dans cette région, la majorité d'entre eux sont très pauvres et ne mangent pas de viande.

Sur le chemin du retour, peu avant le village de Béré, j'ai subitement envie de pleurer. Mon instinct me dit que Tom, ce petit bout d'éléphant avec qui je viens de passer une dizaine de jours et que j'aime tant, n'a plus le courage de vivre.

À mon arrivée, il est couché au sol. Son ventre a doublé de volume. Je prends le visage de Tom sur mes genoux et lui caresse l'arrière d'une oreille. Il me regarde gentiment. Il a l'air rassuré et bouge un petit peu sa trompe. Son souffle se fait de plus en plus lent et, subitement, plus rien. Il vient de mourir dans mes bras.

Les villageois se massent à l'entrée de l'enclos. Ils m'observent, n'osant dire un mot. Je lève les yeux au ciel et des larmes coulent le long de mes joues. C'est plus fort que moi, je ne peux m'en empêcher.

Le chef de canton s'approche alors de moi et me dit :

— Madame la présidente, nous sommes sincèrement désolés. Nous aussi, nous voulions le garder, cet éléphanteau.

— C'est Dieu, n'est-ce pas ? Je ne peux rien faire contre ça.

Il acquiesce. La nuit tombe et Tom doit être enterré. J'enveloppe son corps dans mon unique drap blanc et les hommes du village m'aident à le déposer délicatement à l'arrière du pick-up.

— Il faut l'enterrer près du fleuve, dis-je.

Une dizaine d'hommes du village montent dans le pick-up en prenant soin de ne pas bousculer le corps de Tom et le reste du village me suit à pied. Je m'arrête au bord du fleuve, dans un endroit magnifique où on peut voir des éléphants se baigner. Les hommes creusent un trou et nous descendons la dépouille de Tom. Je dis à tous les villageois :

— S'il vous plaît, faisons une prière pour lui. Nous nous sommes occupés de lui comme d'un humain, enterrons-le comme un humain.

J'ignore si le Coran autorise les fidèles à prier sur la dépouille d'un éléphant, mais ce jour-là ils l'ont tous fait, pour moi, cette étrangère aux yeux verts et à la peau blanche venue sauver les éléphants de leur pays.

À peine suis-je descendue de l'avion à Bujumbura que mon équipe au Tchad m'appelle. Il y aurait eu une nouvelle vague de braconnage dans le Chari-Baguirmi et un bébé éléphant errerait seul dans les parages.

Un expatrié français, Fred, que je connais par miracle, a retrouvé l'éléphanteau sur le site de la compagnie chinoise de pétrole, celle-là même dont je soupçonne les employés de passer leurs commandes d'ivoire à certains trafiquants locaux. Je demande à Raphaël d'aller le chercher de toute urgence.

Comme beaucoup d'autres le feront par la suite, une de mes supportrices allemande sur Facebook m'envoie quelques centaines d'euros afin d'acheter du lait pour nourrir notre femelle éléphanteau. Je baptise cette dernière Savi – comme le chat de la donatrice.

Quarante-huit heures plus tard, Raphaël et mon équipe récupèrent l'éléphanteau et l'emmènent à une dizaine de kilomètres, en brousse. Toutes les deux heures, dès que je sors de mes réunions professionnelles concernant l'appui au processus électoral du Burundi, je téléphone à SOS pour m'enquérir de l'état de santé de Savi. Elle boit à heures régulières ses deux litres de lait et n'a plus la diarrhée. En revanche, de l'eau coule de sa trompe, symptôme typique de pneumonie chez les éléphanteaux. Sachant que la majorité des bébés éléphants meurent soit de diarrhée, soit de pneumonie, je suis terriblement inquiète.

Savi passe plus d'une heure par jour à jouer dans une mare d'eau non loin du fleuve, elle plonge la tête et la trompe sous l'eau. C'est comme ça que l'eau est entrée dans ses poumons. Je m'en veux, car c'est moi qui ai donné l'ordre à mon équipe de la laisser s'amuser le plus possible pour éviter qu'elle ne déprime. Je me sens comme ces parents riches qui se donnent bonne conscience en offrant des cadeaux à leurs enfants pour combler leur absence. Je culpabilise, mais je ne peux quitter la mission ; il me reste encore quelques semaines de travail et le chef de projet électoral me fait bien comprendre qu'il compte sur moi. Encore traumatisée par la perte récente de Tom, je demande au docteur Ben de venir prendre soin de Savi.

À la fin du mois de juillet 2010, Savi ne présente plus aucun signe de pneumonie et aucun troupeau de la localité ne s'est manifesté pour la récupérer. Nous décidons donc de la déplacer dans notre camp, à une cinquantaine de kilomètres. Elle ne veut plus monter dans notre vieux pick-up, qui s'enlise dans la boue.

— Allez-y à pied, même s'il vous faut une semaine. Si Savi refuse de monter dans le pick-up, que pouvons-nous faire d'autre ? dis-je à Raphaël.

Tels des pèlerins, pendant plus d'une semaine, Savi et les cinq membres de mon équipe ont ainsi remonté à pied la route principale, très boueuse, en direction de notre camp. Le pick-up suit avec le matériel, non sans difficultés. Sur place, mon équipe découvre que notre camp de fortune en roseaux a été détruit par la pluie. Ils installent donc provisoirement Savi chez le chef de canton, ce qui facilite les approvisionnements en lait, alors que le chemin qui mène à notre camp est totalement inaccessible du fait des fortes pluies qui s'abattent sur le Mayo-Lémié en cette période de l'année.

De mon côté, je me débrouille pour leur faire parvenir de l'argent et du lait. L'entretien de Savi coûte très cher et, hormis la chaîne de solidarité qui s'est mise en place sur Facebook, je supporte seule toutes les dépenses. Ce n'est pas facile, mais je suis trop heureuse de la savoir en vie. Elle symbolise l'espoir de voir ce pays africain – l'un des plus pauvres de la planète – se tourner résolument vers la sauvegarde de ses éléphants, grâce au groupe animé de bonne volonté dont je suis le chef de file.

Quant aux hauts fonctionnaires du ministère de l'Environnement, dont fait partie le directeur des parcs, par jalousie et par crainte de me voir bénéficier d'une partie du « gâteau financier » que le président de la République a mis à leur disposition pour lutter contre la coupe du bois vert et le braconnage, ils ignoreront systématiquement mes doléances et demandes d'aide. Désormais, je sais que je ne dois pas compter sur eux. Ils n'ont apparemment que faire de la sauvegarde des éléphants. En revanche, si je leur demande leur avis, ils ne me laisseront pas développer librement certains de mes projets. C'est une attitude typiquement tchadienne. Au Tchad, le sens du civisme n'existe presque pas. Il est donc inconcevable dans l'esprit de certains que je mène mes activités de protection des pachydermes sans avoir dressé un plan astucieux pour en tirer tôt ou tard de gros profits.

Il ne me reste plus que quelques jours à passer au Burundi et je compte chaque heure qui me sépare du Tchad. Le dispositif que j'ai mis en place avec les communautés riveraines pour obtenir des renseignements sur les éléphants fonctionne à merveille ; pas une journée ne s'écoule sans qu'un sous-préfet ou un chef de village ne m'appelle.

Ce jour-là, un sous-préfet du Chari-Baguirmi m'informe qu'un autre bébé éléphant a été aperçu en brousse. C'est toujours la même zone, celle des Chinois. J'envoie Abacar, avec du lait et un biberon, traverser le fleuve Chari en pirogue pendant que Raphaël gagnera le village par la route. La boucle par la route fait plus de deux cents kilomètres, la traversée en pirogue quinze. Alors qu'il est parti depuis plusieurs heures déjà, Raphaël m'appelle.

— Je suis en panne, le moteur ne marche plus. Je ne peux pas rejoindre le bébé éléphant, il nous faut un autre véhicule ! En plus, on n'a presque plus de lait au camp, il faut que j'aille à N'Djamena.

Mon visage s'assombrit.

— Combien de réserves de lait nous reste-t-il ?

— Deux boîtes de lait SMA, il n'y a plus de lait à Mitau. Elle boit à neuf heures demain matin son dernier biberon.

— Pourquoi tu ne t'y es pas pris plus tôt ?

Raphaël reporte la faute sur Abacar, qui ne l'a prétendument pas bien tenu informé de l'état des stocks. Peu importe, l'heure n'est pas aux réprimandes de toute façon. Je dois trouver une solution, mon équipe a besoin d'un véhicule. Je passe quelques coups de fil infructueux. Les loueurs sont fermés le vendredi soir et les rares à être encore ouverts refusent catégoriquement d'aller dans le Chari-Baguirmi, et plus encore dans le Mayo-Lémié. Il pleut trop et il y a trop de boue sur les routes.

Vers vingt et une heures, ultime recours, je me décide à appeler le chef de l'État.

— C'est urgent ! Très urgent ! dis-je au standardiste.

— Le président n'est pas disponible, madame. Je vous promets que je vous rappelle.

Il me rappelle effectivement dans la nuit, mais pour me dire que le président n'est toujours pas joignable. Raphaël, qui est arrivé à N'Djamena dans la nuit, repart à la première heure, sous la pluie, avec une petite moto et un maximum de boîtes de lait accrochées à l'arrière. Comme nous n'avons pas de voiture, Abacar, lui, a passé la nuit à construire un radeau avec les villageois afin que Chari, comme j'ai appelé le nouveau bébé éléphant, puisse traverser le fleuve.

À huit heures du matin, mon téléphone sonne. Je reconnais le numéro de la présidence et m'empresse de décrocher. C'est Mahamat, le directeur de cabinet du PR, lui qui, il y a quelques mois, me disait : « Avec tout ce que tu fais pour le pays, on te donnera un jour une médaille. » Sur un ton plutôt froid, Mahamat me demande pourquoi je cherche à joindre le chef de l'État. Je lui explique le problème du bébé éléphanteau et de la voiture, persuadée que je peux compter sur lui. Mais il se met soudain à me crier dessus violemment :

— Tu ne pourras pas à toi toute seule sauver les éléphants du Tchad, ils ne sont pas notre priorité au Tchad ! Je t'interdis d'appeler le président de la République !

Mahamat, qui se prétendait pourtant mon ami, vient de me trahir de la manière la plus choquante possible. Le soir même, Chari meurt avant que nous ayons fini de construire le radeau pour lui faire traverser le fleuve. C'était le seul moyen que j'avais trouvé pour la ramener sur mon camp. Le sort en a décidé autrement.

Quelques jours après ce nouveau drame, je passe quarante-huit heures à Nairobi pour m'approvisionner en lait et rencontrer plusieurs interlocuteurs, dont Josephat, qui a travaillé chez Daphne Sheldrick comme gardien d'éléphant. Il propose ses services à SOS Éléphants pour nous aider à réadapter Savi à la vie en brousse. Je l'embauche sur-le-champ, car je sais que nous avons terriblement besoin de lui : nous avons secouru Savi, elle semble tirée d'affaire, il nous faut désormais penser à son avenir. Ces éléphants orphelins que je vais recueillir un à un doivent tous retourner en brousse, car ils appartiennent à la vie sauvage !

Au PNUE (Programme des Nations unies pour l'environnement), à Nairobi, je prends également contact avec quelques pontes spécialistes des éléphants. La plupart d'entre eux manifestent de l'intérêt pour mes activités au Tchad, pays d'où proviennent trop peu d'informations sur les éléphants. Faute de comptage aérien, ils ne connaissent même pas leur nombre exact. Je leur explique qu'il en reste au moins deux mille, mais qu'ils se trouvent à l'extérieur de toute aire protégée, dans des zones rurales, à proximité des paysans. Les éléphants du Tchad ont un comportement très inhabituel par rapport aux éléphants du Kenya. Ils se savent menacés, donc ils bougent beaucoup, parcourant plus de soixante kilomètres par jour. Je connais assez bien leurs mouvements migratoires, car je les ai étudiés pendant de très longs mois et j'ai ainsi appris à évaluer la concentration de leurs excréments. Si ceux-ci sont frais, c'est que les éléphants viennent de passer.

Je quitte Nairobi rapidement et file à l'aéroport avec une centaine de kilos de lait en poudre dans mes bagages. Direction le Tchad, le village de Mitau et… Savi !

À mon arrivée le lendemain, la femme du chef de canton est en train de lui donner son biberon. Savi a l'air ravie. En les observant quelques minutes, je réalise à quel point nous avons entraîné les communautés locales dans la protection des éléphants. Avant que je ne m'installe dans ce coin désolé du Tchad, est-ce qu'une seule de ces personnes aurait osé nourrir un éléphant au biberon ? Je sais bien que non et j'en suis fière. Mais cela n'aurait pas été possible sans la complicité bienveillante du chef de canton, et je lui en suis très reconnaissante.

Quelques heures plus tard, nous déménageons tous en brousse, dans notre camp, une sorte de cabane en bois et en roseaux. La première nuit, je dors sous une petite tente à quelques centimètres de Savi. Je me lève chaque fois que je l'entends bouger pour lui faire une petite caresse derrière les oreilles. Savi, en retour, prend ma main dans sa bouche et fait mime de la téter. C'est son signe d'affection à elle.

Comme tous les bébés éléphants, Savi est très joueuse et, je l'avoue, turbulente. Personne n'a assez d'autorité pour l'empêcher de n'en faire qu'à sa tête. Il faut être avec elle en permanence. Si on ne s'occupe pas d'elle, lors de nos déjeuners par exemple, elle court rejoindre les enfants du village et joue au ballon avec eux. Dès qu'il est l'heure de son biberon, elle rapplique dare-dare au camp et si le biberon n'est pas prêt, elle prend son élan et charge celui qui se trouve en face d'elle. Plus elle va grandir, et grossir, plus j'anticipe que ce sera un problème. Il est vraiment temps que Josephat nous rejoigne et que Savi réapprenne la vie sauvage. Je veux qu'un jour elle retrouve un troupeau et reparte loin dans la brousse ; peut-être dans huit ans, quand elle sera sevrée et plus indépendante. En attendant, c'est mon équipe et moi qui allons tout lui réapprendre et la protéger comme l'aurait fait sa maman éléphant ; lui enseigner les bonnes plantes, lui faire prendre des bains de boue pour protéger sa peau fragile et éviter qu'elle ne craquèle au soleil.

En novembre, je pars trois semaines en Côte d'Ivoire pour les élections présidentielles. En mon absence, Josephat est accueilli par mon équipe. Aussitôt passé le premier tour, je rentre m'occuper de la construction d'un orphelinat pour éléphants. Depuis l'arrivée de Josephat, Savi a pris beaucoup de poids. Elle passe désormais presque toutes ses journées en brousse avec Josephat, qui est devenu son *keeper* attitré. Elle le suit partout.

Dans le cadre du programme de réhabilitation de Savi, Josephat et moi-même lui dressons un emploi du temps très strict. Elle doit quitter le camp à six heures du matin, après le premier biberon, et n'y revenir qu'à dix-huit heures, rencontrant le moins d'humains possible. Chaque jour, elle doit prendre un bain de boue.

Pendant que Josephat l'accompagne en brousse, je prépare plusieurs programmes de formation pour les paysans avec notre agent des Eaux et Forêts et m'active à embaucher les maçons, architectes et ouvriers qui construiront l'orphelinat. L'hiver approche et je ne veux surtout pas que Savi attrape froid la nuit.

L'architecte, avant de commencer les travaux, exige qu'on sacrifie un mouton. Il veut bénir l'emplacement. Il n'ose pas me le dire lui-même, et c'est Raphaël qui vient me demander de l'argent pour acheter un mouton.

— Stéph, il faut que tu comprennes, c'est la tradition chez cet architecte, il a besoin de sacrifier ce mouton, insiste-t-il.

— Cet homme est chrétien ! Je n'ai jamais entendu parler de ce genre de choses dans ma religion.

— Tu n'es pas obligée d'assister au rituel !

— On ne tuera pas de mouton pour bénir cet emplacement ! Fin de la discussion ! Que cet architecte retourne chez lui.

Tout le monde est fâché. L'architecte arrête les travaux et Raphaël part dans un village voisin à pied. Quant à moi, exaspérée, je disparais dans la brousse à la recherche de Savi et de Josephat. Je les retrouve au bout de trois quarts d'heure. Josephat est allongé dans l'herbe, non loin du fleuve, et Savi mâchonne des feuillages. Elle a environ sept mois et arrive à l'âge où un bébé éléphant découvre le couvert végétal. Je suis vraiment soucieuse pour son avenir.

— Josephat, que va devenir Savi, à ton avis ? Où peut-elle vivre paisiblement dans ce pays ? Il n'y a pas un seul endroit adapté pour elle.

— Il faut qu'elle vive dans une aire protégée.

— Le seul parc où elle pourrait habiter, c'est Zakouma. Mais il est envahi par les eaux en saison des pluies et, en plus, les braconniers y passent en trop grand nombre.

— C'est le Mayo-Lémié que les éléphants ont choisi. Il y a leur corridor qui longe le fleuve sur plusieurs dizaines de kilomètres.

— Tu as raison, c'est évident. La seule solution, c'est de faire classer cette partie du territoire en aire protégée, et seul le président pourra nous aider en l'imposant.

Je passe l'après-midi aux côtés de Savi ; Josephat en profite pour laver ses vêtements dans le fleuve et nager, pendant que Savi et moi nous nous reposons. Je réfléchis. Je suis sûre que si j'arrive à rencontrer de nouveau le chef de l'État, il acceptera. Quelques minutes plus tard, je m'endors dans les herbes hautes, à quelques centimètres de Savi.

Je suis réveillée pas Abacar.

— Où est Josephat, présidente ?

— Il fait tellement chaud qu'il a décidé de se baigner dans le fleuve.

— Mon Dieu, non ! Il y a un monstre !

— Un monstre ?

— Oui, il marche sous l'eau avec des cornes et une trompe.

Abacar et moi, suivis de Savi, nous approchons alors du fleuve.

— Josephat, sors de l'eau, vite ! Il y a un monstre dans le fleuve, crie Abacar.

Josephat sort de l'eau en éclatant de rire.

— Il n'y a aucun monstre dans ce fleuve, Abacar, dit-il.

— Si, je t'assure ! Même le sous-préfet peut en témoigner. Il y a quelques semaines, il a même prévenu la brigade mobile.

— La brigade mobile s'est déplacée ?

— Oui, présidente. Ils l'ont cherché toute la journée, mais ils ne l'ont pas vu.

— Abacar, quand les éléphants nagent pour traverser le fleuve, ils mettent leur trompe en l'air afin de respirer. Ce ne sont pas des monstres, mais des éléphants que les habitants de Béré ont vus, explique Josephat.

Lui et moi rions aux éclats.

— Ah ! les Tchadiens. Il n'y a que les Tchadiens pour inventer des histoires pareilles ! s'exclame Josephat.

Raphaël doit rentrer chez lui quelques jours pour demander au chef de famille l'autorisation de se présenter aux élections législatives. Il brigue la même circonscription que Daboulaye et je dois dire que je ne serais pas mécontente que nous donnions une leçon à ce vieil opportuniste, mais, surtout, j'ai besoin d'alliés au Parlement. En remettant de l'argent à Raphaël pour payer son inscription, je lui dis :

— Promets-moi que, si tu es élu, on augmentera les peines de prison pour les braconniers. Il faut les faire passer de deux à dix ans minimum.

— Je te le promets.

Durant l'absence de Raphaël, j'organise avec Laba, le chef d'inspection des Eaux et Forêts, un atelier de trois jours sur l'utilisation du piment pour protéger les récoltes. Je demande à Josephat d'y participer. Lorsqu'il prend la parole, les paysans sont captivés. Moi-même, je suis très émue. Il nous livre un véritable plaidoyer pour la défense des éléphants et la libération du corridor.

— À la création du monde, dit-il, les animaux sauvages étaient partout en liberté. Puis, petit à petit, l'homme a envahi leur territoire. Certaines espèces comme les éléphants se sont tout à coup retrouvées privées de leur habitat naturel, remplacé par des routes et des maisons ; ils ne savaient plus comment faire pour se nourrir. Ensuite, l'homme a chassé les éléphants et, pour les protéger, on les a parqués… Pourtant, Dieu a toujours voulu que les humains cohabitent pacifiquement avec les éléphants, mais nous ne l'avons pas écouté et avons continué à priver les éléphants de leur territoire, et même à les exterminer pour leur ivoire. C'est pour ça que nous avons aujourd'hui Savi ; c'est une rescapée du braconnage. Nous devons tous penser à son avenir et libérer le corridor pour qu'elle et les autres éléphants aient accès au cours d'eau. Si nous ne faisons pas cet effort, une fois adulte, elle sera dans vos récoltes, tout comme les autres éléphants. Chaque fois que vous cultivez sur le corridor, vous privez les éléphants de leur habitat et allez à l'encontre de la volonté de Dieu. Chaque fois que vous tuez un éléphant, vous fâchez Dieu.

— Mais où sont les corridors ? Personne ne nous a jamais expliqué où sont les corridors, réagit subitement l'un des paysans.

Josephat prend alors une craie, dessine sur le tableau le village de Mitau, notre camp, le fleuve et la brousse aux alentours et leur indique le corridor.

Après la formation, je passe une journée en brousse avec Savi et Josephat. Nous découvrons que Savi a un début de diarrhée. Je panique, me rappelant les complications avec Tom. Josephat lui administre un antidiarrhéique et nous évoquons tous deux l'hypothèse que Savi a été un peu stressée ces dernières heures par l'absence de Josephat, parti m'accompagner à la formation des paysans. Je ne dors plus, la surveille nuit et jour et reste près d'elle. Son état se stabilise en quelques heures.

Un problème n'arrivant jamais seul, l'épouse de Josephat a besoin d'un transfert d'argent, car un de leurs enfants fait une crise aiguë de paludisme. Josephat veut retourner quarante-huit heures à N'Djamena. Il m'avoue qu'il est épuisé et qu'être en ville le ressourcerait. Je ne peux pas le lui refuser. S'occuper d'un bébé éléphant à temps complet est exténuant, je le sais ; il faut tout le temps le surveiller, lui donner des biberons toutes les trois heures, le promener, lui administrer des bains de boue, s'assurer de son état de santé. Rares sont les moments de repos.

J'emploie trois personnes pour s'occuper de Savi, mais je me rends bien compte que Josephat prend tout en charge et est le plus expérimenté. Que puis-je faire ? Sermonner mon équipe tchadienne, au risque de les voir partir et de me retrouver seule avec Josephat ? Non. Je prends la décision d'embaucher un deuxième Kényan de l'orphelinat de Daphne Sheldrick, dont Josephat me souffle le nom.

Un matin de décembre 2010, j'accompagne donc Josephat à N'Djamena. En fin d'après-midi, Abacar m'appelle pour m'annoncer qu'un gros troupeau d'éléphants s'approche du camp.

— C'est une bonne nouvelle, Abacar, les éléphants sont là.

— Présidente, j'ai peur. Ils sont plusieurs centaines. Et s'ils venaient chercher Savi ?

Josephat, qui suit notre conversation, dit alors :

— Le troupeau n'entrera pas dans le camp, Savi est trop habituée aux humains. Elle croit qu'elle est un humain.

Le premier soir, le troupeau reste à côté du fleuve. Savi, en entendant leurs barrissements, montre toute la nuit des signes de peur. Josephat a raison, Savi ne retournera pas de sitôt à la vie sauvage. Le deuxième jour, Abacar, de plus en plus effrayé par les éléphants désormais installés à quelques centaines de mètres du camp, se rend au village avec Savi. Quand j'apprends ça, je suis furieuse, je renvoie immédiatement Josephat récupérer Savi et dis à Abacar :

— Abacar, ça fait des mois que nous essayons de déshabituer Savi aux humains et toi, tu la fais dormir dans le village car tu as peur d'un troupeau d'éléphants !

— Pardon, présidente, je ne savais pas. Mais les éléphants se sont installés dans notre camp et ont vidé tous les stocks de nourriture.

— Quoi ?

— Oui, ils sont allés dans l'enclos où on gardait la nourriture et ils ont tout saccagé, mangé le sucre, le riz, les fruits et même écrasé votre tente, présidente !

— Ils avaient l'air en colère ?

— Je ne sais pas…

Josephat arrive quelques heures plus tard et ramène Savi au camp. Il me signale vers dix-neuf heures qu'elle a l'air malade ; elle a perdu son dynamisme habituel.

— Qu'est-ce qu'elle a ?

Savi

— De l'eau coule de sa trompe…

— Oh mon Dieu ! Elle a une pneumonie ?

— Oui, présidente. Je viens de lui faire une injection d'antibiotique.

— Elle va s'en sortir, n'est-ce pas ?

— Je ne sais pas, présidente.

Ce 15 décembre 2010, j'appelle Josephat toutes les demi-heures. La santé de Savi ne s'améliore pas, de l'eau coule toujours de sa trompe. Elle tombe dans le coma à 1 h 30 du matin et meurt à deux heures, me plongeant dans le désespoir le plus total. À trois heures, je poste un message sur Face-book : « Savi n'est plus, nous avons fait tout ce que nous avons pu pour la sauver et lui assurer un avenir, mais le sort en a décidé autrement. Quant à moi, je ne sais pas si j'ai le courage de continuer, je suis à bout de forces. »

Immédiatement après, je reçois des messages de soutien de dizaines de personnes, des États-Unis, d'Allemagne, du Kenya, des personnes qui ont adopté Savi à distance et par-tagé sa vie grâce aux photos que je publiais régulièrement. Je suis seule dans mon combat contre les braconniers, mais je ne le suis pas pour pleurer le décès de Savi. Mes parents m'appellent pour me consoler, mais pas un mot ne sortira de ma bouche. Je ne retiens pas mes larmes.

Les jours suivants, je peux à peine parler. Je me demande si elle n'a pas été empoisonnée. Je n'ai pas que des amis au Tchad, il y a des gens jaloux, des gens impliqués dans le braconnage, des gens qui n'apprécient pas que j'aie accès au chef de l'État, et qui sont sans doute prêts à tout pour me faire quitter ce pays. Le docteur Ben me propose alors de faire une autopsie, mais je refuse.

— À quoi bon, Ben ? Elle est morte et ne reviendra pas. Je n'ai pas envie de la savoir découpée en rondelles.

Nous enterrons Savi dans notre camp, dans une zone que j'appelle désormais le « sanctuaire de Savi ». J'abandonne mes affaires de brousse aux villageois, j'abandonne les tra-vaux de mon camp de brousse, car je suis effondrée.

Quelques jours plus tard, à la fin du mois de décembre, je me dispute avec les membres de mon organisation à propos de la mort de Savi. Pour moi, elle ne devait pas mourir. Je me pose beaucoup de questions. Ont-ils fait preuve de négligence ? A-t-elle attrapé froid ? A-t-elle avalé des arêtes de poisson ? N'aurait-elle pas dû retourner au village ? A-t-elle été empoisonnée ? Josephat l'a-t-il traumatisée en la quittant vingt-quatre heures ? Un instant, je suspecte même Raphaël, dont l'oncle spécule sans cesse sur l'échec de SOS Éléphants. Je touche le fond.

Josephat revient alors de brousse. Il est aussi déprimé que moi. Il s'en veut terriblement de l'avoir laissée avec les autres. La vérité, c'est que les bébés éléphants sont très fragiles et que ni lui ni moi ne saurons jamais ce qui s'est réellement passé. Loin de leurs parents naturels, et quels que soient les soins prodigués, nombre d'éléphanteaux meurent : le règne animal a ses secrets, et toute notre détermination ne suffira pas à les percer.

J'accompagne Josephat à l'aéroport le 30 décembre 2010. Il rentre au Kenya. Moi, je prends l'avion pour Nairobi le lendemain. La plupart des gens qui m'ont aidée à soigner Savi sont au Kenya. J'ai besoin d'être près d'eux. Ils connaissent ma vie et partagent mes souffrances. Je passe le réveillon le plus triste de ma vie, dans l'avion, avec une photo de Savi que je ne quitte pas des yeux.

J'atterris finalement vers vingt-deux heures à Addis-Abeba et arrive à Mombassa vers deux heures du matin, le 1er janvier 2011. Je dois gagner Diani Beach, sur la côte kényane, où m'attend Amandine, mon amie de toujours. Pendant que je sauve les éléphants du Tchad, elle donne des cours de yoga et de non-violence aux talibans, en Afghanistan. Amandine et moi sommes d'une autre époque ; nous nous battons pour un monde meilleur alors que, de toute évidence, la planète se dégrade à toute vitesse. C'est elle qui a voulu que je témoigne de ce qu'est ma vie au Tchad.

Savi

Elle est en train de danser sur la plage quand elle m'aperçoit.

« Ma femme » ! crie-t-elle.

Quand nous remplissions encore des missions ensemble, au Venezuela ou au Congo-Kinshasa, nous avions pris l'habitude de nous appeler « ma femme » pour dissuader les hommes trop entreprenants. L'expression est restée. Elle m'embrasse sur les joues, me prend dans ses bras et m'entraîne sur la piste de danse.

« Allez, viens, oublie ! Amuse-toi, ma femme ! »

17

Étendre la lutte

Je passe de longues heures sur la plage de Diani Beach, à marcher et à me baigner dans les eaux chaudes de l'océan Indien. Je médite sur le sens de la vie, sur mes succès, mes échecs. Je connais cet endroit paradisiaque depuis plus de vingt ans, j'ai toujours été heureuse de m'y rendre. Après quelques jours à l'hôtel, je loue une villa au pied de l'océan, fréquentée par une tribu de singes vervets avec laquelle je sympathise. La villa n'a pas de fenêtres, donc les singes tentent constamment de voler ce que j'ai dans mon Frigidaire. C'est devenu un jeu entre nous ; je leur donne de temps à autre des bananes et des pommes dont le mâle dominant, surtout, raffole. Je le baptise Patapouf. Je commence à écrire ce livre. Je veux absolument laisser un témoignage de ce qui a été mon combat dans la sous-région pour les éléphants, car je ne suis pas sûre que l'espèce va passer le cap des prochaines années au Tchad, en République centrafricaine, au Cameroun. Il y a trop d'abattage, nous sommes trop seuls dans ce combat.

Un jour, Patapouf, qui avait déjà un œil crevé, revient avec la cuisse ouverte. Durant plusieurs semaines, je lui donne des bananes truffées d'antibiotiques. Tout le temps de sa maladie, Patapouf dort dans ma villa. La nuit, je peux sentir l'odeur de sa chair qui cicatrise. Enfin il guérit et, chaque matin, avant de descendre au premier étage où il y a la cuisine, il se glisse sous ma moustiquaire et touche ma jambe quelques secondes. Il est tombé amoureux de moi. Après avoir accompli son exploit, il descend très fièrement l'escalier, se poste devant le Frigidaire et pousse un grand cri pour ameuter le reste de la tribu, qui arrive généralement à la queue leu leu afin d'embarquer quelques bananes. Il y a une femelle avec son bébé qui s'est tellement familiarisée avec moi que lorsque j'ouvre le frigo, elle me saute sur les épaules pour mieux apercevoir ce qu'il y a d'intéressant pour elle.

Grâce à eux, petit à petit, je retrouve le sourire et la bonne humeur. J'appelle chaque jour les différents membres de mon équipe. Je ne lâche pas prise, je reconstitue mes forces.

En mars 2011, *Le Figaro Magazine* publie un reportage élogieux sur moi, intitulé « Au secours des éléphants d'Afrique », qui m'apporte beaucoup de soutiens dans le monde.

J'ai ainsi l'agréable surprise, un matin, de recevoir un appel de Pierre Pfeffer, scientifique mondialement connu pour sa grande campagne de sensibilisation, « Amnistie pour les éléphants », grâce à laquelle des associations européennes et américaines ainsi que plusieurs gouvernements africains s'étaient élevés contre le massacre des éléphants d'Afrique.

— Cela fait plusieurs mois que j'essaie de vous joindre, me dit Pierre. J'aimerais vous aider. C'est moi qui me suis battu pour faire classer le parc de Zakouma en aire protégée en 1963. Ce parc était un des plus beaux parcs d'Afrique centrale, à l'époque. Vous savez, je suis un homme âgé, maintenant. Je me suis battu toute ma vie pour sauver les éléphants d'Afrique et interdire le commerce de l'ivoire. Et j'y suis arrivé, en 1989. Avant de mourir, j'aurais voulu gagner une dernière bataille : faire classer tous les éléphants d'Afrique en annexe 1 de la CITES.

— Pierre, on a perdu la majorité des éléphants de Zakouma, mais il y en a encore deux mille qui vivent sur le territoire tchadien, en dehors des aires protégées. Je me bagarre en ce moment avec la direction des parcs, car ils ne disent pas la vérité sur les massacres ! Les éléphants du Tchad vivent hors de tout système de surveillance, ne sont pas dans des aires protégées et ne sont recensés nulle part.

— Je sais. Et je vous admire pour le combat que vous menez. Je sais que si un jour je ne suis plus là, vous continuerez et reprendrez le flambeau ; d'ailleurs vous êtes déjà là !

— Les Chinois ont envahi l'Afrique et, partout où ils s'installent, on assiste à des abattages d'éléphants et au trafic d'ivoire. Leur présence est catastrophique pour la faune sauvage d'Afrique. Ils parviennent à corrompre tout le monde ! Comment voulez-vous que des États comme ceux d'Afrique résistent ?

— Je sais, je sais. Si je n'avais pas mes problèmes de santé, je viendrais à vos côtés, Stéphanie. N'abandonnez surtout pas la bataille !

— C'est très dur, parfois. Il m'arrive d'être très découragée. Nous n'avons pas assez de moyens !

— De manière générale, il n'y a pas assez de moyens pour protéger les éléphants d'Afrique, je suis entièrement d'accord avec vous. Ils sont menacés d'extinction et personne ne se mobilise. Je suis désolé que nous ne nous soyons pas rencontrés avant, vraiment désolé.

Avant d'interrompre notre conversation, il me dit :

— Puis-je vous dire une dernière chose, Stéphanie, avant de raccrocher ?

— Oui, bien sûr.

— Je vous aime, je vous adore pour tout ce que vous faites !

En raccrochant, je me suis agenouillée sur le sable au bord de la mer et j'ai regardé longuement la mer en pensant à tous ces éléphants menacés de mort : Oh mon Dieu, aidez-les ! Ne les laissez pas partir !

Peu de temps après la parution de l'article du *Figaro*, je suis mise en contact avec la fondation de Brigitte Bardot.

Très rapidement, je monte un dossier de financement pour SOS Éléphants du Tchad. J'ai vraiment besoin d'aide pour construire l'orphelinat des bébés éléphants et encadrer les populations locales.

Après une vague de braconnage dans le Logone oriental, en avril 2011, Brigitte Bardot prend position et envoie une lettre au chef de l'État afin d'attirer son attention sur les massacres des éléphants de son pays. Je remercie cette femme exceptionnelle, que je ne connais pas, mais qui a fait preuve d'un très grand courage. Je prends conscience qu'il y a des gens qui partagent notre engagement pour cette cause. Brigitte Bardot en fait partie, résolument déterminée à m'aider à sauver les éléphants.

En avril 2011, les Nations unies m'envoient à Nairobi afin d'évaluer les activités à mener pour les élections kényanes de 2012.

Pendant ce temps-là au Tchad, la brigade mobile de protection de l'environnement arrête deux individus en flagrant délit de braconnage dans le Chari-Baguirmi. Le colonel Bassi me prévient immédiatement. Les deux braconniers ne veulent pas avouer pour qui ils travaillent précisément, mais la brigade mobile, en les interrogeant, apprend qu'on leur a fourni des armes et de l'argent pour tuer les éléphants. Je porte plainte contre eux.

Quelques jours plus tard, un ami général en poste à l'aéroport de N'Djamena m'appelle :

— Stéphanie, nous avons interpellé deux Chinois aujourd'hui. Ils avaient de l'ivoire caché dans leurs valises. Ils ont essayé de corrompre tout le monde à l'aéroport, mais nous n'avons pas accepté !

— Bravo, général, je suis fière de vous ! Où sont-ils ?

Le général, gêné, ne répond pas tout de suite.

— L'ambassade de Chine a mis une pression folle sur la police tchadienne. Elle a dit que c'étaient des diplomates et qu'ils bénéficiaient donc d'une indemnité diplomatique.

Je suis furieuse et, pendant quarante-huit heures, je remue ciel et terre pour obtenir le nom de ces deux Chinois. C'est un ami colonel, un commissaire de police, qui finit par me donner leurs noms et leurs fonctions exactes. Ils sont ingénieurs à la CNPC, la compagnie des pétroles chinois, dans le Chari-Baguirmi. J'ai désormais une preuve matérielle de l'implication des Chinois dans les tueries d'éléphants au Tchad et dans le trafic d'ivoire. Interrogés par la police tchadienne, les Chinois ont prétendu qu'ils avaient acheté l'ivoire sur le marché. Ils mentent comme des arracheurs de dents : ça fait des mois qu'il n'y a plus un seul gramme d'ivoire qui circule sur les marchés, je m'en suis assurée.

Je dépose également une plainte contre ces deux Chinois et rédige un communiqué de presse. Je transmets aussi toutes ces informations à la branche d'Interpol qui s'occupe d'environnement, en espérant qu'ils puissent interroger les Chinois, voire les arrêter.

En juin 2011, le conseil d'administration de la fondation de Brigitte Bardot approuve une donation, qui doit nous être envoyée en septembre afin que SOS Éléphants construise un orphelinat pour bébés éléphants.

En juillet, la directrice de la commission électorale du Kenya, avec laquelle je travaille, me présente au président du Kenya Wildlife Service. Il m'invite à la Journée du respect des lois pour l'éléphant, où seront brûlées plusieurs tonnes d'ivoire saisies quelques années auparavant à Singapour. Une journaliste chinoise est présente et souhaite m'interviewer. Devant la caméra, je témoigne du massacre des éléphants au Tchad et dans la sous-région du bassin du Congo et je ne me gêne pas pour accuser les consommateurs chinois. La présentatrice semble embarrassée.

— S'il vous plaît, madame, me dit-elle, ne parlez pas des Chinois directement, dites plutôt les populations d'Asie qui consomment de l'ivoire, autrement mon émission va être censurée.

Je corrige et fais disparaître de mon vocabulaire le terme « Chinois », consciente que, de toute façon, les consommateurs d'ivoire asiatiques se sentiront visés par mon discours. À la fin de l'entretien, j'explique que chaque fois qu'un Asiatique commande de l'ivoire, il condamne à mort un éléphant, car la seule manière de prélever l'ivoire, c'est de tuer les éléphants. La présentatrice est très attentive et elle traduit simultanément en chinois pour les nombreux téléspectateurs qui vont bientôt regarder son journal d'information.

À la fin de l'interview, je lui demande :

— Que venez-vous de dire ?

— Je dis à mes téléspectateurs que l'ivoire ne repousse pas comme des cheveux quand on le coupe de l'éléphant.

Je réalise soudain que certains Chinois semblent complètement ignorer que lorsqu'ils commandent de l'ivoire, ils font tuer des éléphants : ils pensent que l'ivoire repousse, comme les cheveux...

Ma mission à Nairobi à peine terminée, nous recevons les ressources de la fondation de Brigitte Bardot. Le prince émirati Ben Zayed, qui a une fondation à son nom, nous envoie également une petite subvention pour participer à la construction de notre site et au développement de SOS Éléphants du Tchad. Le 21 août, j'apprends aussi que plusieurs États viennent de s'engager, lors de la dernière réunion de la CITES, à verser plus de cent millions de dollars pour sauver certaines espèces menacées, et notamment les éléphants d'Afrique centrale. Je reprends espoir car je sais que, plus que tout, nous avons besoin de moyens pour éduquer les populations, leur faire comprendre que, grâce aux éléphants, leur région se développera, ce qui créera de la richesse pour les communautés.

C'est pourquoi, en octobre 2011, en plus de l'orphelinat pour bébés éléphants, je demande à Raphaël de superviser dans le Mayo-Lémié les travaux de construction d'un puits, de quelques cases et d'une salle de classe. Grâce à l'appui de donneurs anonymes qui soutiennent notre cause, je paie alors la scolarité des cent soixante enfants des écoles communautaires et demande au chef de canton de s'assurer qu'ils aillent désormais tous à l'école. J'achète une multitude de livres sur les éléphants. Je veux absolument que les enfants de la région se familiarisent avec ces animaux, car je sais qu'une fois adultes, ce seront eux qui prendront leur défense ; du moins je l'espère.

De mon côté, je termine mes travaux de recherche en droit de l'environnement. J'intitule mon mémoire *La Sauvegarde des éléphants d'Afrique*. J'obtiens une mention et repars immédiatement au Congo m'occuper d'un nouveau processus électoral. Je partage tout de suite ma passion pour les éléphants avec mes collègues.

— Soyez vigilants, leur dis-je, il vous reste onze mille éléphants de forêt. Ils sont probablement encore plus menacés que les éléphants de savane, car il est très difficile de les recenser dans les forêts, et les braconniers en profitent.

La responsable de la gouvernance congolaise, qui vient d'entendre mon discours, ne semble pas du tout apprécier.

— Tu ferais mieux de faire des enfants, ça nous rassurerait tous !

Peu de temps après cette vacherie, ma collègue, moi-même et le représentant résident du PNUD, mon patron, sommes appelés à rencontrer le ministre de l'Intérieur du Congo. Il évoque quelques questions sur le processus électoral et, quelques minutes après, déclare :

— Vous savez ce que nous vénérons plus que tout au Congo ? Ce sont les éléphants. Ils sont l'emblème du président Sassou-Nguesso.

Je reste estomaquée pendant une seconde, puis prends la parole :

— Monsieur le ministre, j'ai une organisation au Tchad qui s'occupe des éléphants.

— Ça alors ! Ce week-end, je pars à Oyo, dans l'ouest du pays, avec mon équipe. Venez avec nous. Je veux absolument que vous découvriez les éléphants du Congo !

Personne dans notre équipe n'ose défier le tout-puissant ministre de l'Intérieur, acteur numéro un du processus électoral, et c'est tout naturellement que, le vendredi suivant, le responsable du protocole me conduit à l'aérodrome de Brazzaville afin de prendre le petit avion privé qui m'emmène à Oyo. Une fois sur place, le ministre a dépêché un de ses hélicoptères pour m'emmener dans la zone à éléphants.

C'est la première fois que j'observe des éléphants de forêt. Ils sont plus petits que nos éléphants du Tchad, mais ont de très grandes défenses. J'enquête sur la situation des éléphants du Congo auprès des populations riveraines. Le braconnage commence à toucher le pays sans que les autorités en aient vraiment conscience, d'autant plus qu'il est très difficile de savoir ce qui se passe dans la forêt vierge.

Je rentre à Brazzaville obsédée par l'idée de créer SOS Éléphants du Congo. Quelques jours plus tard, je rencontre Arsène, un militant écologiste congolais qui a longtemps côtoyé Wangari Maathai, le Prix Nobel de la paix écologiste qui vient tout juste de décéder. Il me présente à son tour une dizaine de Congolais, tous prêts à s'engager dans la protection des éléphants. Encouragée en outre par le ministre de l'Intérieur, je crée SOS Éléphants du Congo.

Arsène, qui a des contacts dans toute la sous-région, au Gabon, au Congo, en République centrafricaine, m'incite à développer ce qui deviendra par la suite SOS Éléphants d'Afrique centrale. Puisque les braconniers sévissent dans toute la sous-région et que les éléphants se meuvent dans toute cette partie de l'Afrique, ma mission est de les sauver à cette échelle, d'autant plus que le trafic d'ivoire dépasse largement les frontières du Tchad.

Mi-mars 2012, j'ai la confirmation que plus de deux cent cinquante éléphants du parc de Bouba Ndjidah se sont fait massacrer en quelques heures par le groupe de braconniers que j'avais tenté désespérément de faire arrêter en février 2010. J'en suis malade. Je le savais. Une semaine après, un troupeau de cent cinquante têtes d'éléphants vient d'arriver à côté du camp que j'ai construit grâce à l'aide de Brigitte Bardot. C'est Raphaël qui me prévient. Il me dit : « Stéph, je ne sais pas du tout d'où ils viennent ! » Je comprends alors que la zone que je fais surveiller par mon équipe et les communautés est en train de devenir le plus grand sanctuaire d'éléphants du Tchad : les éléphants de toute la sous-région viennent se réfugier dans notre zone en quête de protection.

Je suis en Guinée en mission et je m'apprête à rentrer au Tchad et à demander à Idriss Déby le classement de la zone en aire protégée présidentielle sous la direction de SOS Éléphants du Tchad. C'est mon rêve, c'est mon plan ! C'est une petite ONG comme SOS Éléphants qui va les sauver, ces éléphants qui n'ont trouvé de sérénité nulle part ailleurs. Car au sein de notre ONG, chaque fois qu'un éléphant tombe sous les balles des braconniers, ce sont des larmes de sang qui coulent, et une communauté de paysans pleure en même temps, parce qu'elle a compris, grâce à nos efforts de sensibilisation, que ces éléphants sont sacrés et qu'il faut les sauver.

Début avril 2012, toujours en Guinée, le ministre de l'Environnement m'invite à dîner, alors que l'État guinéen, pour la toute première fois, vient de saisir quatre-vingts kilogrammes d'ivoire d'éléphants braconnés. Nous passons une soirée entière à parler des éléphants qui sont dans la forêt guinéenne entre la Guinée et le Libéria et qui sont, je le sais, eux aussi menacés, tout comme les éléphants d'Afrique centrale. Le gouvernement guinéen n'a pas encore réussi à identifier d'où provient cet ivoire, de la sous-région, ou d'Afrique centrale. Je sais désormais que partout où il y un port en Afrique, il y a potentiellement un groupe de trafiquants qui cherchent à exporter clandestinement l'ivoire des éléphants braconnés vers la Chine.

Le ministre me rappelle quelques heures après le dîner et me dit : « Il faut nous aider en Guinée, on veut sauver ces éléphants... » Ma réponse ne se fait pas attendre. J'y consacrerai le peu de temps libre que j'ai ici, car ce sont tous les éléphants d'Afrique qui sont menacés d'extinction et particulièrement dans les zones où des conflits récents ont eu lieu, là où il n'y a pas assez de revenus générés par le tourisme animalier pour monter des programmes de protection efficaces.

Romain Gary a été le premier à donner l'alerte sur l'abattage des éléphants du Tchad dans son livre *Les Racines du ciel*. Ensuite, des scientifiques tels que Pierre Pfeffer y ont consacré leur vie. C'est au tour de ma génération de prendre le relais. Je risque de me faire beaucoup d'ennemis sur ce long chemin de bataille, mais je suis trop déterminée pour reculer. Ce combat coule dans mon sang, c'est mon histoire, et sauver les éléphants d'Afrique centrale est devenu le cœur de mon existence. Ce patrimoine appartient aux générations futures, à tous ces enfants africains que je croise pieds nus et en haillons dans la brousse, qui sont encore trop jeunes pour avoir conscience de ce qui se passe, et qui peut-être un jour me diront merci, car j'ose espérer que je ne me serai pas battue en vain.

Toutes les photographies du cahier hors texte
appartiennent à la collection personnelle de Stéphanie Vergniault.

Mise en pages

44400 Rezé

N° d'édition : L.01EBNN000246.N001
Dépôt légal : mai 2012